thank V/

ACHUB   .. ...

**Llyfrau gan Mair Wynn Hughes
o Wasg y Dref Wen**

I BLANT HŶN

Achub y Cwm

I BLANT IAU

Cyfres Prins yr Injan Fach
Prins yr Injan Fach
Prins a Siôn Corn

Cyfres Morus Mihangel
Morus Mihangel
Morus Mihangel a'r Deisen

Cyfres Wichiaid Môn
Wichiaid Môn a Chosyn Mwya Cymru
Wichiaid Môn a Lladrad y Banc

ACHUB Y CWM

Mair Wynn Hughes

DREF WEN

Lluniau gan Roger Jones

Comisiynwyd y gyfrol hon
gan Awdurdod Addysg Clwyd.

CBAC

Fe'i cyhoeddir dan nawdd
Cynllun Llyfrau Darllen
Cyd-bwyllgor Addysg Cymru.

© Mair Wynn Hughes 1992
Cyhoeddwyd gan Wasg y Dref Wen,
28 Ffordd yr Eglwys,
Yr Eglwys Newydd, Caerdydd.
Argraffwyd ym Mhrydain.

1.

Cododd Dafydd ei drwyn o'i lyfr am eiliad.

"Oes rhaid imi fynd?" holodd yn guchiog.

Edrychodd ei fam yn gas arno.

"Wrth gwrs bod rhaid iti fynd," meddai'n bendant. "Rhaid croesawu teulu dieithr i'r ardal. Ac mae ganddyn nhw fachgen yr un oed â chdi. Rhywun iti chwarae hefo fo."

"Hy!" meddyliodd Dafydd yn ddiflas.

Doedd o ddim eisio neb i chwarae hefo nhw, nac oedd? Roedd o'n berffaith hapus yn helpu'i dad yn ei ardd fasnach . . . yn gwylio bywyd gwyllt yr ardal . . . ac yn sleifio i lawr at yr afon i bysgota hefo Giaffar.

Trodd ei fam at ei dad.

"Waeth imi siarad hefo mi fy hun ddim," meddai'n flin. "Mae Dafydd 'ma mewn breuddwyd o fore tan nos. Yn union fel ei dad."

"Mmmm," meddai Mr Owen o'r tu ôl i'w bapur dyddiol.

"Mmmm, wir," wfftiodd Mrs Owen.

"Mi a i â theisen sunsur hefo mi. Jest rhywbeth bach i ddangos croeso," meddai.

Disgwyliodd am ateb, ond ni ddaeth dim. Roedd Mr Owen yn dal y tu ôl i'w bapur, ac roedd trwyn Dafydd yn dal ynghlwm yn ei lyfr.

Ysgydwodd Mrs Owen ei phen ar y ddau, a dechreuodd glirio'r bwrdd cinio. Roedd hi wrth ei bodd wrth feddwl am groesawu teulu newydd i'r ardal. Yn enwedig am fod ganddyn nhw fachgen tua'r un oed â Dafydd. Teulu o'r dre, dywedodd rhywun, ond fydden nhw fawr o dro â chartrefu yn y wlad. Ac mi fyddai'r bachgen yn gwmni ardderchog i Dafydd.

Nodiodd Mrs Owen ei phen wrth olchi'r llestri. Roedd hi wedi dwrdio digon ar Dafydd am dreulio cymaint o'i amser ar ei ben ei hun . . . ac yng nghwmni Giaffar hefyd. Diar, roedd Giaffar yn rêl tramp petasai ei gŵr a Dafydd ond yn gweld hynny. Yn byw mewn hen garafán fregus wrth yr afon, a byth yn 'molchi, synnai hi ddim. Ac roedd ei ddillad fel pe buasen nhw wedi'u tynnu trwy'r simdde. Roedd hi'n dweud a dweud ei bod hi'n hen bryd i Dafydd gael ffrind go iawn. Rhywun yr un oed ag ef ei hun, a rhywun a'i perswadiai i fyhafio fel bachgen cyffredin. I chwarae pêl-droed a dringo coed, a reidio beic yn un o'r criw o gwmpas y pentref.

Nodiodd Mrs Owen. Dyma'r cyfle i Dafydd gyfarfod ffrind newydd.

"Tyrd, Dafydd," meddai'n benderfynol gan roi'r deisen sunsur mewn bag papur a thaflu cipolwg frysiog arni'i hun yn y drych. "Mi awn ni."

Cododd Dafydd yn anfodlon. Dilynodd ei fam allan a cherddodd yn sorllyd gyda hi i fyny'r ffordd.

"A phaid ag edrych mor guchiog," gorchmynnodd ei fam yn ddiflas. "Mi fyddwn ni yna cyn pen dim."

Ond roedd Dafydd yn teimlo fel cuchio, a chuchio roedd o am ei wneud yn nhŷ'r bobl newydd yma hefyd, waeth beth a ddywedai ei fam.

Cyraeddasant.

"Cana'r gloch, Dafydd," gorchmynnodd ei fam gan

afael yn dynnach yn y deisen sunsur a thacluso'i gwallt â'r llaw arall.

Pwysodd Dafydd yn hir a swnllyd ar y botwm cloch. O'r diwedd daeth dynes mewn gwisg flodeuog i'r drws. Roedd ganddi gwmwl o wallt cringoch yn disgyn at ei hysgwyddau a fflip-fflops lliwgar am ei thraed, ac roedd golwg drafferthus ar ei hwyneb.

Gwenodd mam Dafydd arni ac estyn ei llaw yn gyfeillgar.

"Mrs Owen ydw i . . . a dyma Dafydd," meddai. "Rydyn ni'n byw yn yr ardd fasnach i lawr y lôn. Jest picio i'ch croesawu chi, 'tê, a dŵad â theisen fach ichi. Joban sobor ydi'r mudo 'ma. Oes rywbeth fedrwn ni'i wneud i helpu?"

"O . . . wn i ddim . . ." meddai'r ddynes yn ffrwcslyd. "Ond dowch i mewn."

"Ddim os ydych chi'n brysur . . ." cychwynnodd Mrs Owen. "Jest cyflwyno ein hunain ydyn ni."

"Na . . . dowch i mewn."

Agorodd y ddynes y drws led y pen ac amneidio arnynt i fynd trwodd i'r gegin gefn.

Llygadodd Dafydd y llanastr fel y cerddai'n anfodlon wrth sodlau'i fam. Roedd o'n methu â deall pam roedd eisiau stwffio i dai pobl a chithau 'rioed wedi'u cyfarfod nhw o'r blaen. Ac am gael ei orfodi i wneud ffrindiau hefo bachgen dieithr . . . wel, ych â fi!

Safodd yn stond wedi cyrraedd y gegin gefn. Roedd bocsys a chesys a thrugareddau ar draws ei gilydd ymhobman. Roedden nhw'n bentyrrau ar y bwrdd ac ar y cadeiriau, ar ben y cypyrddau isel ac ar y sinc . . . ac ar sil y ffenest hefyd. Doedd yna unlle i roi troed bron!

"Wel . . . Ymm-mm!" meddai'r ddynes gan edrych o gwmpas fel pe bai'n chwilio am rywle iddynt eistedd. "Dipyn o lanastr yma, mae gen i ofn. John wedi mynd i nôl llwyth arall, wyddoch chi. Ond mae Roli yma'n rhywle."

Llusgodd law trwy'i gwallt a throi at y lobi i alw . . . "ROLI!"

Ond ni ddaeth ateb.

Efallai fod y Roli 'na wedi mynd i nôl llwyth arall hefo'i dad, meddyliodd Dafydd yn falch.

Edrychodd yn arwyddocaol i gyfeiriad ei fam. Roedden nhw wedi dŵad â'r deisen, on'd oedden? Ac wedi eu cyflwyno eu hunain hefyd. Roedd yn amser mynd adref rŵan. Ailedrychodd ar ei fam a cheisio gwneud wyneb "dowch rŵan" arni. Ond doedd hi ddim yn edrych arno.

"Mrs Rees ydw i," meddai'r ddynes gan roi rhwb arall i'w gwallt yn ffrwcslyd. "Ymm . . . paned, efallai?" holodd. "Mae 'na fygiau yma'n rhywle."

Ond roedd un olwg ar y trugareddau'n blith draphlith ymhobman yn ddigon i Mrs Owen. Dechreuodd ddatod ei siaced ar unwaith.

"Digon o amser i baned eto," meddai. "Beth am imi'ch helpu chi hefo'r rhain tra bydd Roli a Dafydd yn dŵad i adnabod ei gilydd?"

Bu bron i Dafydd â chrensian ei ddannedd. Doedd o ddim am iddi ei orfodi i wneud ffrindiau hefo'r Roli 'ma. Ddim heddiw . . . ddim byth!

"Wnewch chi?" meddai Mrs Rees yn ddiolchgar. "Wir, mae pethau wedi bod mor ddryslyd y dyddiau diwethaf yma. Pacio ar fy mhen fy hun, wyddoch chi. John i ffwrdd ar y Cyfandir ac yn cyrraedd adre y munud diwethaf fel arfer. Ond roedd Roli gen i, wrth gwrs." Trodd i gyfeiriad y lobi a gweiddi eto . . . "ROLI!"

Daeth sŵn traed yn dringo'n araf i lawr y grisiau. Traed nad oedden nhw fymryn o eisio dod i lawr o gwbl. Trodd Dafydd i edrych. Roedd o'n benderfynol nad oedd o am gyfeillachu hefo'r bachgen dieithr yma, waeth beth ddywedai'i fam.

"Be sy?" holodd llais o'r drws.

"Pobl ddieithr, Roli," meddai Mrs Rees. "Tyrd i'w cyfarfod nhw."

Roedd gên Dafydd wedi disgyn ers meitin. *Geneth* oedd Roli! Geneth mewn jîns bratiog a chrys lliwgar. Geneth a'i hwyneb yn llawn brychni a chyda gwallt cringoch cwta yn bigau draenog o gwmpas ei chlustiau. Roedd ei hwyneb yn wridog gan dymer a'i llygaid yn herio Dafydd i feiddio dweud gair wrthi.

2.

Gwenodd Dafydd yn sydyn. "Hwrê a hwrê a hwrê," meddyliodd. Doedd dim angen iddo wneud ffrindiau hefo Roli wedi'r cyfan. Ddim â hithau'n eneth. Ac yn un mor guchiog hefyd! Meddyliodd am gynlluniau ei fam. Mi fyddai'n rhaid iddi ailfeddwl rŵan, yn byddai?

Trodd i edrych arni. Roedd hithau'n edrych yn syn hefyd. Ni allai Dafydd beidio â gwenu eilwaith.

Gwgodd Roli'n ofnadwy ac ymwthiodd ei ffordd heibio iddo.

"Gwylia'u llyncu nhw, y bwgan brain," hisiodd o dan ei gwynt.

"Llyncu be?" holodd Dafydd yn ddryslyd.

"Y pegiau dillad 'na sy gen ti yn dy geg," hisiodd Roli'n ffyrnig.

Doedd o erioed wedi gweld geneth gyda'r ffasiwn wyneb cas.

"Rŵan . . . Roli . . ." cychwynnodd Mrs Rees gan rwbio'i llaw trwy'i gwallt eto.

"Be sy?" holodd Roli'n guchiog gan edrych ar ei mam.

"Mrs Owen a Dafydd wedi dŵad yma i gyflwyno'u hunain, yli," meddai Mrs Rees. "Ac wedi cynnig help llaw hefyd."

Trodd at Dafydd.

"Mi fydd Roli'n falch iawn o dy gwmpeini di a ninnau'n newydd i'r ardal, Dafydd," meddai. "Mae'n wyliau haf, a chaiff hi ddim cyfle i gyfarfod neb nes i'r ysgol ddechrau."

Agorodd Dafydd ei geg i wrthod bod yn gwmni i neb, llai fyth i sgrimpan guchiog fel Roli.

"Mi fydd Dafydd wrth ei fodd," meddai ei fam, er ei bod hi'n sbïo braidd yn ddrwgdybus ar Roli. "Ac mi fedr ddangos pobman iddi. Rydw i'n siŵr y bydd y ddau'n ffrindiau mawr."

"Ffrindiau? Hefo hi? Byth bythoedd," meddyliodd Dafydd.

"Ffrindiau? Hefo fo? Byth bythoedd," meddyliodd Roli.

Gwgodd y ddau ar ei gilydd.

"Beth am ichi fynd allan i'r ardd tra bydda i'n helpu Mrs Rees?" cynigiodd ei fam.

Ciciodd Dafydd riniog y drws ar ei ffordd allan i ddangos ei deimladau. Edrychodd Roli ar Dafydd, ac edrychodd Dafydd ar Roli wedi cyrraedd yr ardd. Doedden nhw ddim yn hoffi ei gilydd o gwbl.

"Twpsan o'r dre," meddyliodd Dafydd.

"Twpsyn o'r wlad," meddyliodd Roli.

Eisteddodd y ddau ar y wal heb ddweud gair. Bu'n ddistaw ddistaw rhyngddynt am eiliadau hir.

"Does dim angen iti ddangos unlle i mi," haerodd Roli'n wgus. "Mi fedra i ddarganfod pobman ar fy mhen fy hun."

"Croeso iti," meddai Dafydd yn swta.

Eisteddodd y ddau'n ddistaw ar y wal.

"Fedri di wneud 'wheelies' hefo dy feic?" gofynnodd Roli'n sydyn.

"Medra siŵr," meddai Dafydd.

11

"Gwna, ta," meddai Roli gan amneidio at feic a bwysai ar wal y sied.

"Dim eisio rŵan," meddai Dafydd.

Cilwenodd Roli.

"Fedri di ddim felly," meddai'n fodlon. "Mi fedra i. Dim byd haws."

Neidiodd oddi ar y wal a rhedodd at ei beic.

"Edrych!"

Ond doedd Dafydd ddim eisio gwylio. Pam roedd yn rhaid i Roli ddangos ei hun?

"Dy dro di rŵan," heriodd Roli.

"Dydw i ddim eisio chwarae'n wirion," meddai Dafydd.

Nid na fedrai, wrth gwrs. Ond doedd arno ddim eisio gwneud rŵan hyn. Cododd ei ysgwyddau'n anfodlon. Doedd o ddim am gystadlu "gorau wneud" hefo Roli o bawb. Sgiampan yn brolio a dangos gorchest.

"Paff, ta?" holodd Roli gan ollwng y beic a chau'i ddyrnau. "Y cynta i dynnu gwaed o drwyn yn ennill."

Gwnaeth osgo paffio a tharo'r gwynt â'i ddyrnau caeëdig. Edrychodd Dafydd arni fel pe buasai'n fwystfil gwyllt o'r jyngl.

"C'mon," heriodd Roli gan wneud llygaid croes dychrynllyd arno. "Ofn eto?"

Roedd Dafydd yn falch o weld ei fam. Roedd y Roli 'ma'n boncyrs! Yn siŵr o fod.

"Wedi gwneud ffrindiau rwy'n gweld," meddai ei fam gan lygadu dyrnau caeëdig Roli'n amheus. "Mi ddowch draw fory, Roli?" ychwanegodd. "Mae'n hen

bryd i Dafydd 'ma chwarae hefo rhywun yr un oed â fo ei hun."

Roedd Dafydd wedi digio'n lân wrth ei fam. Pam roedd hi eisio sôn am *chwarae* fel petasai o'n grwt chwech oed? A chwarae hefo Roli o bawb! Doedd hi ddim tebyg i'r un eneth a welodd o 'rioed. Twpsan o'r dre yn gorchestu. A thwpsan hefo gwallt coch hefyd!

Cuchiodd Dafydd yr holl ffordd adre. Ond roedd ei fam yn preblach yn ddi-baid. Nonsens am ba mor braf oedd hi iddyn nhw gael cymdogion mor neis . . . ac mai dynes fanesol iawn oedd Mrs Rees ond fod dim llawer o syniad ganddi am waith tŷ. Am ei bod hi'n arlunydd o fri, debyg. Ac roedd ei gŵr yn rhywbeth pwysig mewn cwmni enfawr hefyd. Yn crwydro i'r Cyfandir bob wythnos. Fyddai o bron byth adre, meddai Mrs Rees. Dyna pam roedd Roli druan ychydig bach yn anodd i'w thrin. Colli'i thad roedd hi. Ac roedd yn bwysig ofnadwy i Dafydd ddŵad yn ffrindiau hefo hi a'i helpu i gartrefu mewn ardal ddieithr.

Roedd Dafydd wedi syrffedu. Doedd dim ots ganddo am Mrs Rees . . . na Mr Rees . . . nac am Roli chwaith. Eisio llonydd roedd o. Llonydd i ddianc at Giaffar am sgwrs, ac i fod hefo fo am oriau ben bwy gilydd ar lan yr afon ac i fyny'r cwm hefyd.

"Mynd rŵan," meddai cyn gynted ag y cyrhaeddon nhw adre. Anelodd am ei feic.

"I ble?" galwodd ei fam arno, wrth ei weld yn diflannu i gyfeiriad y ffordd.

"Wedi gaddo i Giaffar," oedd yr ateb.

14

Ochneidiodd Mrs Owen. Doedd dim angen iddi ofyn, nac oedd? Wrth gwrs mai Giaffar roedd o'n mynd i'w weld.

Ac i sefyllian am oriau wedyn rywle yn y cwm, synnai hi ddim! Y ddau ohonyn nhw'n gorwedd ar eu boliau am oriau'n gwylio cwningod ac ati. Fedrai hi ddim eu deall nhw, wir!

Ond un od fu Giaffar erioed. Roedd o'n mynnu byw mewn hen garafán fregus, a honno ymhell o bobman.

"Rhaid iti roi dy droed i lawr hefo'r hogyn 'ma," meddai wrth ei gŵr. "Dydi o'n ddim lles iddo dreulio cymaint o amser yng nghwmni rhywun fel Giaffar. Beth petasai fo'n dŵad â ryw haint adre hefo fo?" Aeth ias sydyn trwyddi. "Mae'r garafán 'na fel cwt mochyn. Rwyt ti ar fai'n gadael iddo fynd i'r ffasiwn le."

Ochneidiodd Mr Owen yn ei dro.

"Mae Giaffar yn hen foi iawn," meddai. "Ac yn adnabod y cwm i'r dim. Ac mae o'n dysgu Dafydd i bysgota, fel y dysgodd o finnau ers talwm."

"*Dysgu!*" wfftiodd Mrs Owen yn hallt. "Dysgu bod yn flêr a budr, 'tê? Ond mi fydd pethau'n newid yma rŵan. Wedi i Roli ddŵad."

"Roli? Hwnnw ydi'r bachgen newydd oeddet ti eisio i Dafydd ei gyfarfod, debyg?" meddai Mr Owen. "Gobeithio fod ganddo ddiddordeb mewn adar ac anifeiliaid gwyllt . . . a physgota hefyd, ddyweda i, neu fydd o a Dafydd fawr o ffrindiau."

Edrychodd Mrs Owen braidd yn anniddig.

"Ymm-mm! Geneth ydi Roli," meddai.

Lledaenodd gwên araf tros wyneb ei gŵr.

"Geneth! Ac mae Dafydd am fod yn ffrindiau hefo hi? Wel! Wel!" rhyfeddodd.

"Wel . . ." cychwynnodd Mrs Owen.

Rhywsut roedd hi'n methu ag egluro i'w gŵr sut un oedd Roli. Mai geneth guchiog a phigog oedd hi. Ond roedd Mrs Owen yn siŵr y deuai Dafydd a Roli'n ffrindiau . . . ond iddyn nhw gael cyfle i adnabod ei gilydd yn iawn.

"Mae hi'n dŵad yma fory," meddai. "Mi wna i ginio neis iddyn nhw, ac mi gaiff y ddau fynd am dro wedyn. I Dafydd gael dangos yr ardal iddi hi."

Gwenodd Mr Owen fwyfwy. Doedd o ddim yn credu y buasai'r cynlluniau'n plesio Dafydd o gwbl.

Ond roedd Dafydd wedi anghofio popeth am Roli fel y pedlai'n gyflym am garafán Giaffar. Be wnaen nhw am weddill y pnawn, tybed? Pysgota efallai, neu grwydro'n uchel i fyny'r afon a chwilio am olion dyfrgi y credai Giaffar ei fod yno rywle.

Roedd o'n anifail swil, meddai Giaffar, ac mi fyddai'n rhaid i'r ddau ohonyn nhw fod yn amyneddgar iawn os oedden nhw am ei weld.

Pedlodd ymlaen yn egnïol. Yn fuan, roedd yn chwys domen. Ond doedd dim ots ganddo. Fyddai Giaffar wedi blino disgwyl, tybed?

Arafodd ychydig fel y trodd i'r llwybr a arweiniai at y garafán. Fe wingai'r llyw yn aflonydd yn ei ddwylo fel y reidiai ar hyd yr wyneb caregog. Bu'n rhaid iddo godi oddi ar y sedd a phedlo'n arafach ac arafach fel yr igam-ogamai'r llwybr trwy'r eithin a'r llwyni mwyar isel. Ac fel yr âi'r wyneb yn bonciau a phantiau egr hefyd.

Rhedai'r llwybr weithiau i'r chwith ac weithiau i'r dde, cyn disgyn yn sydyn i gyfeiriad yr afon a charafán Giaffar islaw. Arafodd Dafydd i gael ei wynt ato a rhythodd i gyfeiriad y garafán. Oedd Giaffar gartref?

Yna, rhoes anadl fodlon wrth weld fod y drws yn agored a bod Giaffar yn eistedd y tu allan. Dechreuodd bowlio'r beic i lawr ato.

"Heia!" galwodd.

Eisteddai Giaffar ar hen gadair haf. Roedd het gantel-lydan ar ei wallt brith, a llinyn yn clymu ei gôt fratiog. Ac er ei bod yn ddiwrnod braf yn yr haf, roedd welingtons a'u topiau wedi'u plygu am ei draed, a'r rheiny'n drwch o hen fwd a baw.

Ond ni sylwai Dafydd ar yr olwg oedd arno. Giaffar oedd Giaffar, yntê? A doedd o ddim yn byw nac yn gwisgo fel rhywun arall.

"Hmm!" meddai Giaffar gan wneud llygaid bach yn erbyn yr haul er mwyn gweld Dafydd yn well. "Roeddwn i'n dy ddisgwyl di ers meitin."

Gwgodd Dafydd wrth gofio.

"Ar Mam roedd y bai," meddai.

"A be wnaeth dy fam felly?" holodd Giaffar gan gyrraedd am y wialen bysgota a bwysai ar wal y garafán, a dechrau ei harchwilio â bysedd a oedd yn ddu gan faw.

"Mynd â fi i gyfarfod Roli," meddai Dafydd yn swta.

Plygodd i fwytho Siôn, y milgi llwyd, fel y crafangiodd hwnnw i'w groesawu o gysgod y garafán.

"Roli? A phwy ydi hwnnw?" holodd Giaffar.

"Honno," meddai Dafydd. "A dydw i ddim am wneud ffrindiau hefo hi. Byth!"

"Taw â dweud," meddai Giaffar yn hamddenol. "A be sy o'i le arni felly?"

"Popeth," oedd ateb swta Dafydd.

Ond doedd o ddim am wastraffu amser yn meddwl am Roli a'i champau gwirion.

"Be wnawn ni y pnawn 'ma?" holodd. "Chwilota am olion, ta pysgota?"

"We-el . . ." ystyriodd Giaffar a'i ddwylo'n brysur â'r wialen. Rhoes ychydig o Vaseline ar gadach a dechrau ei rhwbio'n ofalus. "Mae'n bwysig gofalu am wialen bysgota i'w chadw mewn cyflwr da, Dafydd," meddai.

Roedd Dafydd yn llygaid i gyd. Doedd ganddo ddim gwialen bysgota ei hun. Roedd yn cael benthyg un gan Giaffar. Ac roedd o eisio gwialen iddo'i hun yn fwy na dim. Gwyliodd Giaffar yn ddistaw am rai munudau.

"Prun wnawn ni?" holodd eto.

Rhoes Giaffar y wialen o'r neilltu a chodi'n araf.

"A pha bryd mae dy fam yn dy ddisgwyl adra?" holodd â gwên fach gudd yn ei lygaid.

"O . . . ddim am oesoedd," meddai Dafydd.

"Nid busnes hanner awr ydi pysgota, na gwylio anifeiliaid gwyllt," meddai Giaffar.

"Mi wn i," meddai Dafydd. "Ond . . ."

"Beth am ddiwrnod o bysgota fory?" meddai Giaffar. "Mi gei dithau amser i drefnu'n iawn hefo dy

18

fam, felly."

"Grêt!" meddai Dafydd. "Mi ddo i ben bore."

Roedd o wedi anghofio popeth am ymweliad Roli. Aeth adref gan chwibanu'n hapus braf. Fe âi at Giaffar yn syth ar ôl ei frecwast, ac fe berswadiai ei fam i wneud picnic pysgota i'r ddau ohonynt.

3

"Rwyt ti'n gwybod yn iawn fod Roli'n dŵad yma heddiw," meddai ei fam yn dymherus fore trannoeth.

"Ond . . . wnes i anghofio . . ." cychwynnodd Dafydd.

"Anghofio wir," meddai ei fam. "Fyddi di byth yn anghofio mynd i bysgota a chrwydro hefo Giaffar, yn na fyddi?"

"Ond mae hynny'n wahanol."

"Nac ydi. Ddim yn wahanol o gwbl," atebodd ei fam yn swta. "Mi gei aros yma, a dŵad i adnabod Roli'n iawn . . . a mynd â hi o gwmpas yr ardal . . . a'i chroesawu fel yr addewais i i'w mam. Mi fydd yn ffrind iawn iti tros y gwyliau 'ma."

"Ond . . . mi fydd Giaffar yn *disgwyl*," cuchiodd Dafydd. "Rydw i wedi *gaddo*."

"Mi gei redeg yno ar dy feic y funud 'ma. A chofia, mi fydda i'n dy ddisgwyl yn ôl yn syth."

"Ond . . . *Mam!*"

Ond, wrth gwrs, ufuddhau fu'n rhaid iddo. Pedlodd ei feic yn ddigalon tua charafán Giaffar. Pedlodd yn arafach ac arafach ar hyd y llwybr igam-ogam, a heibio i'r eithin a'r llwyni mwyar a'r creigiau isel.

Roedd yr haul yn boeth a meddyliai Dafydd yn hiraethus am ddiwrnod cyfan ar lan yr afon. Roedd yn dyheu am gael pysgota fel y dysgodd Giaffar iddo.

Llysywen a ddaliai weithiau. A'r adeg honno, fe'i cadwai mewn bwced am ychydig er mwyn iddo gael sylwi arni'n iawn. Roedd ganddo lyfr darlunio, ac fe

wnâi ddarlun o'r llysywen yn hwnnw. Ond wnâi hi ddim byw'n hir mewn cyn lleied o ddŵr, ac fe fyddai'n rhaid iddo ei gollwng yn ôl i'r afon wedyn. Ac fe fyddai'n cael hwyl wrth ei gweld yn disgyn "plop" i'r dŵr ac yn igam-ogamu ei chorff elastig i ffwrdd.

Ac weithiau, fe ddaliai frithyll bychan. Gallai ddychmygu'r profiad rŵan. Fel y teimlai'r plwc bychan ysgafn rhwng ei fysedd pan chwaraeai'r brithyll â'r abwyd . . . ac yna fel y plygai blaen y wialen wrth iddo ei lyncu. Fe fyddai yntau'n troi'r rilen yn ofalus nes y byddai'r brithyll yn codi'n arian byw o'r dŵr.

Ochneidiodd. Dychmygu'r profiad roedd o, yntê? Châi o ddim pysgota hefo Giaffar heddiw. Ac ar Roli roedd y bai.

"Mi ddaw cyfle eto," meddai Giaffar yn galonnog. "Ac mae'n biti tros rywun ar ben ei hun mewn ardal ddieithr."

"Ond mae ganddi hi fam a thad. Does dim rhaid iddi fy nghael i hefyd," grwgnachodd Dafydd.

Reidiodd ei feic yr un mor araf am ei gartre. Doedd o ddim yn deg fod yn rhaid iddo ddioddef Roli trwy'r dydd ac yntau eisio mynd i bysgota. Cuchiodd ei ffordd am y tŷ.

Fe gyrhaeddodd Roli tua hanner awr wedi deg. Roedd golwg guchiog arni hithau hefyd.

"Hylo, Roli," meddai ei fam ei groesawgar. "Mae'n dda gen i dy weld ti. A Dafydd hefyd."

"Hy!" meddai Dafydd o dan ei wynt.

"Dos i ddangos yr ardd fasnach i Roli," gorchmynnodd ei fam wrth weld Dafydd yn sefyll a'i ddwylo yn ei bocedi, heb ddweud dim.

Cerddodd Dafydd yn anfodlon i lawr llwybr yr ardd. Cerddodd Roli yr un mor anfodlon ar ei ôl.

"Letys sydd yn y gwely yma," meddai Dafydd yn surbwch.

"Rhai gwell yn y siopau, does?" meddai Roli.

"A radys a betys coch yn fan'ma," meddai Dafydd heb gymryd arno'i chlywed.

"Golwg llipa arnyn nhw," meddai Roli'n feirniadol.

"Be wyddost ti?" holodd Dafydd wedi gwylltio. "Dydi pobl o'r dre'n dallt *dim*."

"Mae pobl y wlad a'u traed yn y pridd . . . fel chwyn," haerodd Roli gan wneud llygaid croes ar Dafydd.

"Penbyliaid boncyrs o'r dre yn gwneud ffyliaid ohonyn nhw'u hunain," meddai Dafydd.

"Pwy wyt ti'n ei alw'n boncyrs?" sgyrnygodd Roli gan gau ei dyrnau.

"Chdi."

"Twpsyn."

"Twpsan."

Roedd tad Dafydd yn chwynnu wrth ymyl y tŷ gwydr ac wedi clywed y ffraeo. Cododd ar ei draed gan wenu.

"Hylo, Roli," meddai gan roi winc sydyn arni.

"O . . . hylo," meddai Roli gan wrido a chuchio run pryd.

Roedd hi'n gwybod ei bod hi wedi bod yn anfoesgar ofnadwy mewn lle dieithr. Ond ar Dafydd roedd y bai.

Pwy oedd eisio gwneud ffrindiau hefo twpsyn ara deg o'r wlad?

Ciledrychodd ar Dafydd. Doedd hi ddim eisio bod yn ffrindiau hefo fo . . . ddim a'i mam a Mrs Owen wedi trefnu'r cyfan. Roedd hi am wneud ei ffrindiau ei hun. Gwnaeth lygaid croes i'w gyfeiriad, a gwgodd Dafydd yn ôl arni.

"Cinio!" galwodd Mrs Owen o gyfeiriad y tŷ.

Trodd pawb yn ddiolchgar. Roedden nhw wedi diflasu cerdded o gwmpas yr ardd a neb yn dweud gair.

"Rŵan, bwyta di faint a fynni di," meddai Mrs Owen gan roi dysglaid o sglodion tatw o flaen Roli. "Mi gei ddangos ychydig o'r ardal iddi wedyn, Dafydd. Beth am ichi reidio'ch beiciau i'r pentre. Efallai y gwelwch chi rai o'r plant eraill yno."

Disgynnodd gên Dafydd yn syn. Reidio beic i'r pentre . . . a hynny hefo *geneth*? Ddim ond y fo a hi? Dim ffeiars! Aeth ei wyneb yn goch goch.

"Twpsyn," meddyliodd Roli.

Gwenodd.

"Mi fuaswn i'n hoffi mynd i lawr i'r pentre," meddai. "A chael cyfarfod ffrindiau Dafydd hefyd."

Nodiodd Mrs Owen yn fodlon.

"Dyna chi. Roeddwn i'n gwybod y buasai'r ddau ohonoch chi'n gwmpeini i'ch gilydd," meddai.

Cododd Dafydd yn anfodlon wedi gorffen ei ginio. Roedd o wedi ceisio meddwl a meddwl am rywbeth arall i'w wneud hefo Roli heblaw mynd i'r pentre. Ac wedi methu.

"Daria hi!" meddyliodd. "Yn drysu popeth!"

Gwgodd i'w chyfeiriad . . . a gwgodd Roli yn ôl arno.

"I ffwrdd â chi," meddai Mrs Owen. "A chofiwch, mi fydd 'na de ichi pan ddowch chi'n ôl."

Aeth Dafydd i nôl ei feic yn benisel.

"Tyrd, ta," meddai'n swta.

Neidiodd arno a phedlo'n wyllt i gyfeiriad y pentre, a hynny cyn i Roli *afael* yn ei beic hi. Doedd dim ots ganddo ei bod hi 'mhell bell o'i ôl. Gwenodd. Efallai y medrai ei cholli am byth! Dyna fuasai'n hwyl. Fe guddiai a'i gadael hithau i gyrraedd y pentre ar ei phen ei hun. Pedlodd yn frysiog rownd y tro.

Ond na. Petrusodd. Doedd hynny ddim yn deg, rywsut, er mor gas oedd ganddo fynd hefo hi i'r pentre. Ac mi fuasai ei fam yn ei *ladd* am guddio rhagddi.

Trodd i edrych o'i ôl. Doedd dim golwg ohoni. Pedlodd yn arafach ac yn arafach a throi ei ben bob yn hyn a hyn gan ddisgwyl ei gweld. Ble gebyst roedd hi? Trodd yn ôl i chwilio. *Genethod!* Doedd dim byd ond trwbl hefo nhw.

Eisteddai Roli ar bwys y wal. Roedd llyfr ar ei glin a phensel yn ei llaw.

"Be wyt ti'n ei wneud yn fan'na?" holodd Dafydd yn flin.

"Sssssh!" hisiodd Roli. "Paid â'i dychryn hi."

"Dychryn be?" holodd Dafydd yn ddryslyd.

"Wiwer. Cau dy geg, wnei di?" meddai Roli rhwng

25

ei dannedd.

"Cau o dy . . ." cychwynnodd Dafydd.

Yna sylwodd ar yr hyn roedd Roli yn ei wneud.
Roedd hi'n edrych i fyny i'r goeden ac yn darlunio bob
yn ail.

"Dyna ti wedi ei dychryn hi," cwynodd Roli'n flin.

Stwffiodd y llyfr i'w bag beic yn frysiog, a dringodd
i'r sedd.

"Gora gynta," galwodd. "Y cynta i gyrraedd y troad
acw."

A chyn i Dafydd gael cyfle i ddweud gair, roedd hi
wedi neidio ar ei beic ac yn pedlo'n wyllt oddi wrtho.
Neidiodd Dafydd ar ei feic yntau. Roedd o eisio gweld
llyfr darlunio Roli. Onid oedd o'n darlunio adar ac
anifeiliaid gwyllt ei hun?

"Ga i weld dy lyfr di?" galwodd gan bedlo fel
randros i'w dal.

"Na chei," gwaeddodd Roli gan wibio 'mlaen.

Erlidiodd Dafydd hi'n egnïol.

"Pam?"

"Dim o dy fusnes di, nac ydi?"

"Iawn, ta," meddai Dafydd yn surbwch. "Os mai
fel'na rwyt ti'n teimlo."

Safodd ar y pedlau a'u gorfodi'n gynt ac yn gynt.
Aeth ei wyneb yn goch chwys fel y ceisiodd ddal Roli
. . . a'i phasio hefyd. Roedd o am gyrraedd y troad
ymhell o'i blaen.

Roedd o bron â'i dal . . . roedd ei olwyn flaen
gyferbyn ag olwyn ôl ei beic hi . . . gyferbyn â'r
pedlau . . . yn araf araf ddal yr olwyn flaen. Roedd o

am ei phasio.

Ond roedd Roli'n sefyll ar ei phedlau hithau hefyd a'i thraed yn eu troi'n gynt ac yn gynt. Cyrhaeddodd y ddau y troad wrth ochrau ei gilydd.

"Fi enillodd," haerodd Roli.

"Na . . . y fi," meddai Dafydd.

"Dim peryg," meddai Roli.

Edrychodd y ddau'n gas ar ei gilydd.

"Cydradd oedden ni, ta," meddai Dafydd o'r diwedd.

"Ia. Ôl reit," meddai Roli yn gyndyn.

Pwysodd y ddau ar eu llywiau i gael eu gwynt atynt.

"Does dim rhaid inni fynd i'r pentre, yn nac oes?" meddai Roli.

"Nac oes," meddai Dafydd yn falch.

"Tyrd yn ôl i chwilio am y wiwer 'na, ta."

"Iawn," cytunodd Dafydd.

Trodd y ddau eu beiciau a reidio'n ôl ochr yn ochr. Ciledrychodd y ddau ar ei gilydd. Tybed fedren nhw fod yn gyfeillion wedi'r cyfan? Jest nes y byddai'r ysgol yn dechrau?

"Ond chaiff o ddim gweld fy llyfr darlunio," meddyliodd Roli. "Mae o'n breifat."

"Ond chaiff hi ddim gwybod am Giaffar," meddyliodd Dafydd. "Mae hynny'n breifat."

Hanner cyfeillion oedden nhw am fod, nid rhai go iawn.

4.

Fe gododd Dafydd yn fore trannoeth. Roedd ar dân eisio mynd i lawr at Giaffar a chael pysgota trwy'r dydd.

"Beth petasai Roli'n dŵad i lawr?" holodd ei fam. "Mi fuasai'n biti iddi gael siom."

"Ddaw hi ddim heddiw," meddai Dafydd a'i geg yn llawn Cornflakes.

Rhoes ei lwy i lawr ac edrych ar ei fam.

"Mi ga i frechdanau i Giaffar a finna, yn caf? Brechdanau cig . . . a diod oren. Rydyn ni am bysgota *trwy'r* dydd."

"O . . . wn i ddim, wir," meddai Mrs Owen gan edrych yn arwyddocaol ar ei gŵr.

Pam na fuasai o'n dweud rhywbeth? Roedd rheswm yn dweud y buasai'n well i Dafydd gyfeillachu hefo rhywun run oed ag ef ei hun, ac nid hefo hen ŵr byth yn 'molchi fel Giaffar.

"Gad lonydd i'r hogyn," meddai Mr Owen. "Mae Giaffar yn gwmni ardderchog."

"Hy!" meddai Mrs Owen dan ei gwynt.

Roedd hi'n dal i feddwl mai hi oedd yn iawn. Ond fe gododd a dechrau torri brechdanau ar gyfer y picnic pysgota.

"Dyna chdi. Digon ichi eich dau," meddai. "A da ti, tria 'molchi dy ddwylo cyn eu bwyta nhw."

"Iawn . . . Mam," meddai Dafydd.

"Ac os daw Roli, mi ddeuda i wrthi ble'r wyt ti," meddai ei fam.

Fe deimlai Dafydd fel sgyrnygu ei ddannedd. Doedd Giaffar ac yntau ddim eisio neb arall i bysgota hefo nhw.

Neidiodd ar ei feic a phedlo ymaith. Pedlodd fel randros nes cyrraedd y llwybr a arweiniai at garafán Giaffar. Trodd iddo, yna fe'i hataliodd ei hun yn sydyn. O na! Syrthiodd ei galon i'w sgidiau. Roedd beic wedi'i ollwng wrth ochr y llwybr, ac ychydig bellter i ffwrdd, fe welai gorun cringoch ynghanol yr eithin.

Roli! Daria las! Oedd hi wedi ei weld? A beth roedd hi'n ei wneud yma? Arafodd fwyfwy fel y ceisiodd benderfynu beth i'w wneud. Oedd o am basio a smalio na welodd o hi o gwbl?

Ond fel y nesaodd, fe welai fod y llyfr darlunio ganddi. Gafaelodd chwilfrydedd ynddo. Roedd eisio gweld beth roedd hi'n ei ddarlunio. Disgynnodd oddi ar ei feic a'i ollwng wrth ochr ei beic hithau.

Caeodd Roli y llyfr yn frysiog a symud i'w stwffio'n ôl i'w bag beic.

"Be wyt ti'n ei wneud?" holodd Dafydd.

"Dim," meddai Roli'n swta.

"Ond mi roeddet ti'n darlunio *rhywbeth*," meddai Dafydd.

"Dim," meddai Roli gan ei herio i ddweud gair ymhellach.

"Os mai fel'na mae hi'n teimlo," meddyliodd Dafydd yn sur, "croeso iddi." Gafaelodd yn ei feic a pharatoi i ailgychwyn am garafán Giaffar.

"Ble'r wyt ti'n mynd?" holodd Roli.

"I unlle," meddai Dafydd.

"Ond mi rwyt ti'n mynd i rywle. Hefo welingtons, hefyd," cyhuddodd Roli gan lygadu'r pâr oedd yn dangos eu topiau o'r bag beic.

"Rhag ofn y bydda i'u hangen nhw rywdro," meddai Dafydd yn ddidaro.

Os oedd hi mor grintachlyd hefo dangos ei llyfr darlunio, doedd o ddim am ddatgelu dim wrthi hithau chwaith.

"Deuda di ble'r wyt ti'n mynd . . . ac mi ddangosa i fy llyfr," cynigiodd Roli'n sydyn.

"Dim diolch," meddai Dafydd. "Dim ots gen i os gwela i dy hen lyfr di ai peidio."

Dringodd yn ôl ar ei feic a phedlo ymlaen. Canolbwyntiodd ar ei lywio ar hyd yr wyneb caregog. Doedd o ddim am edrych yn ôl. Fe gâi Roli eistedd yno hefo'i llyfr darlunio. Roedd o'n mynd i bysgota.

Ataliodd ei feic ar ben y llethr a arweiniai i lawr at y garafán. Roedd o wedi anghofio popeth am Roli erbyn hyn. Roedd Giaffar ac oriau hir o bysgota yn ei ddisgwyl.

"Heia!" galwodd fel y gollyngodd ei feic i lawr yr allt.

Roedd Giaffar yn disgwyl amdano. Roedd ganddo ddwy wialen bysgota a bag ar ei ysgwydd, ac roedd rhwyd yn pwyso ar wal y garafán.

"Barod?" holodd fel y cyrhaeddodd Dafydd ar ruthr gwyllt.

"Ydw," meddai Dafydd.

Brysiodd i dynnu'i welingtons o'r bag beic.

Llygadodd Giaffar y llethr y tu ôl iddo.

"Rhywun hefo ti?" holodd.

"Nac oes," meddai Dafydd.

Ond trodd i sbecian o'i ôl. Oedd Roli erioed wedi ei ddilyn? Chwiliodd ei lygaid yr eithin a'r mân greigiau. Ond welai o ddim byd.

"Nac oes . . . neb," meddai eto.

"O," meddai Giaffar.

Ond rywsut, doedd o ddim yn swnio fel petasai'n coelio chwaith.

"Ga i bwced rhag ofn imi ddal llysywen?" holodd Dafydd.

"Iawn," oedd ateb Giaffar fel y plygodd i ofalu fod Siôn wedi'i glymu'n ddiogel wrth y garafán.

"Dyna ti, was. Byhafia di dy hun," gorchmynnodd fel y llanwodd hen sosban o'r tanc dŵr wrth ochr y garafán.

"Biti na fuasai ganddoch chi dap," meddai Dafydd.

Gwenodd Giaffar.

"A phwy sydd angen tap, a'r afon mor agos?" holodd.

Cerddodd y ddau ar hyd glan yr afon. Roedd yr haul yn disgleirio ar y dŵr ac yn gwneud iddo befrio'n fyw.

Yn sydyn llwodd Giaffar dan ei wynt a phlygodd i godi rhywbeth.

"Dyma flerwch," meddai, a thymer yn ei lais.

Roedd corff llonydd bronfraith yn ei ddwylo.

"Pysgotwr wedi gadael darn o lein â bachyn arni," eglurodd fel y trodd Dafydd i weld. Cwpanodd Giaffar y corff yn ei ddwylo. "A'r aderyn wedi llyncu'r cynrhonyn, yli, a llyncu'r bachyn run pryd. Druan ohono. Marwolaeth ara deg poenus, a hynny o achos blerwch pobl."

Rhoes y corff i orffwys o dan lwyn mwyar duon gan ysgwyd ei ben.

"Gofala di ddŵad â darnau lein a phob bachyn adre hefo chdi bob amser," rhybuddiodd.

Cerddasant ymlaen nes cyrraedd tro yn yr afon. Yno roedd ychydig o ddŵr cyflym a phwll y tu draw iddo.

"Fan'ma?" holodd Dafydd.

Nodiodd Giaffar.

"Dyna ti, ta," meddai. "Mi a inna'n uwch i bysgota."

Roedd Dafydd wrth ei fodd. Dechreuodd baratoi'r wialen. Fe gafodd dun â mwsog ynddo gan Giaffar. Byddai'n cadw'r pryfed genwair ynddo am ddyddiau. Tynnodd Dafydd un ohono a'i roi ar y bachyn. Yna camodd yn ddistaw i'r afon.

Gollyngodd y lein yn araf i'r dŵr. Gadawodd iddi ymestyn yn raddol nes roedd yr abwyd yn chwarae'n braf yn y lli. Safodd yno am funudau hir heb deimlo dim cynnwrf yn y wialen. Ond roedd yn braf yno ar ei ben ei hun. Dim ond yr afon, a'r haul ar y dŵr, a'r wialen ac yntau. A Giaffar rywle yn ymyl.

Ailollyngodd y lein unwaith eto. Efallai y câi fachiad buan . . . ac y daliai glamp o frithyll mawr.

Tynhaodd ei ddwylo'n sydyn ar y wialen. Roedd o wedi teimlo cynhyrfiad bychan ynddi. Yn union fel pe buasai rhywbeth yn plycio'n ysgafn ar yr abwyd. Pysgodyn! Gafaelodd yn dynn yn ei wialen a pharatôdd i droi'r rilen yn araf araf.

"HEI!" galwodd llais sydyn o'r tu ôl iddo.

Roli! Sbonciodd Dafydd wrth glywed ei llais. Ceisiodd droi i'w hwynebu, ac yn ei ffwdan fe roes blwc anferth ar y wialen. Saethodd honno i fyny i'r awyr a bachodd y lein ym mrigau coeden gerllaw . . . ac ar yr un pryd fe droes yntau ei droed ar garreg simsan yng ngwely'r afon.

"Oooo-www!"

A chyda bloedd ofnadwy fe ddisgynnodd fel lleden i'r dŵr.

"Splt-tsh-sh!"

Poerodd ddŵr o'i geg yn wyllt gacwn.

"Splitsh-sh-sh!"

Poerodd gegaid o ddŵr eto a chrafangio'n wlyb domen at lan yr afon.

Roedd Roli'n glannau chwerthin.

"Oooo! Dy wyneb di!"

Rhoes ei dwylo ar ei hochrau a chwerthin a chwerthin nes roedd ei dagrau'n powlio.

"Y ffŵl gwirion iti," bloeddiodd Dafydd wedi colli'i dymer yn lân. "Yli be rwyt ti wedi'i wneud. Rydw i wedi colli'r pysgodyn ac wedi bachu'r lein . . . ac yn wlyb domen! Fuasa neb ond ffŵl gwirion yn gweiddi tu ôl i rywun fel'na."

Ond dal i chwerthin wnâi Roli. Roedd Dafydd yn wlyb o'i gorun i fodiau'i draed. Roedd ei jîns yn wlyb . . . a'i grys yn wlyb. Roedd ei wallt fel mop golchi llawr heb ei wasgu. Roedd dŵr yn rhedeg yn ddafnau i lawr ei drwyn ac roedd ei draed yn mynd "scweltsh

scweltsh" yn ei welingtons.

"Yr het wirion . . ." gwaeddodd yn ffyrnig.

Daeth llais Giaffar o'r tu ôl iddynt.

"Be sy'n bod, felly?" holodd a hanner gwên ar ei wyneb wrth weld y llanastr.

"Roli'n fy nychryn i," gwaeddodd Dafydd yn wyllt wlyb. "Yn rhoi andros o floedd . . . ac mi gollais i'r pysgodyn . . . a bachu fy ngwialen . . . a disgyn hefyd . . . a fedr hi wneud dim ond *chwerthin!*"

"Galw . . . nid bloeddio wnes i," meddai Roli'n guchiog.

"Bloeddio . . ."

"Galw . . ."

"Bloeddio." Syllodd Dafydd ar ei ddillad gwlyb. "A sbïwch pa mor wlyb ydw i rŵan!"

Cododd ei lais yn uwch ac yn uwch.

Roedd golwg od ar wyneb Giaffar fel yr edrychodd ar Dafydd.

"Wel . . . ia. Mi rwyt ti mewn tipyn o lanastr," cytunodd.

Fe deimlai Dafydd fel dawnsio'n wyllt gacwn yn ei welingtons gwlyb.

"Ond efallai nad oedd Roli'n *bwriadu* dy ddychryn di," meddai Giaffar eto. "Camgymeriad oedd o."

Sgyrnygodd Dafydd. Doedd Roli'n ddim ond trafferth a helbul ers pan fynnodd ei fam fynd â fo i'w chartref. A rŵan, dyma hi wedi cyrraedd glan yr afon, ac wedi difetha diwrnod o bysgota. Teimlodd Dafydd ei dymer yn ailgodi.

"Rhaid nôl y lein o'r goeden . . . a dy gael dithau o'r

dillad gwlyb 'na," meddai Giaffar. "Mae'n siŵr fod gen i rywbeth wnaiff y tro iti yn y garafán."

"Mi ddringa i i'w nôl," cynigiodd Roli ar unwaith.

A chyn pen chwinciad roedd hi'n dringo'r goeden yn heini ac yn dadfachu'r lein o'r brigau.

"Dyna ti," meddai gan ei chynnig i Dafydd.

"Ia . . . wel . . . diolch," meddai Dafydd yn surbwch.

Dilynodd Dafydd Giaffar a Roli i gyfeiriad y garafán. Pam roedd yn rhaid i Roli ddŵad a difetha'r cyfan, meddyliodd yn flin fel y cerddodd "scweltsh scweltsh" y tu ôl iddynt.

Cyraeddasant y garafán. Eisteddodd Dafydd ar y glaswellt a thynnodd ei welingtons. Arllwysodd y dŵr ohonynt heb edrych i gyfeiriad Roli. Roedd hi wedi sbwylio popeth.

Crafangiodd Siôn o'i guddfan o dan y garafán a cheisiodd lyfu wyneb Dafydd yn groesawgar.

"Dos o'ma," grwgnachodd Dafydd.

"Eisio diod mae o," meddai Roli gan giglan. "Digon o ddŵr iddo fo ar dy wyneb di, does?"

Roedd hi bron â mynd yn ffrae wyllt pan alwodd Giaffar o'r garafán,

"Dyma ti."

Dringodd Dafydd yn droednoeth i mewn iddi. Edrychodd ar y dillad a estynnodd Giaffar iddo. Roedden nhw'n fawr . . . ac yn hen . . . ac roedd arogl mwg a milgi a hen faw arnynt.

"A rhwbia dy hun hefo hwn," gorchmynnodd Giaffar gan estyn tywel iddo.

Aeth allan a chau'r drws ar ei ôl. Fe glywai Dafydd furmur isel Giaffar a Roli fel y dadwisgodd yn frysiog. Dechreuodd ei ddannedd glecian er ei bod hi'n braf a phoeth y tu allan.

Sychodd ei hun â'r tywel a gafaelodd yn y dillad a roes Giaffar iddo. Roedd y crys yn dyllau bratiog rownd ei goler, ac roedd olion bysedd budron arno. Ond doedd dim ots gan Dafydd. Gwisgodd ef yn ddiolchgar. Ond roedd y llewys yn ymestyn at ei benliniau. Rholiodd nhw at ei benelin a throi wedyn i afael yn y trowsus llac henffasiwn.

Rhoes ei goesau i mewn ynddo a'i dynnu i fyny at ei ganol . . . yna'n uwch at ei geseiliau. Roedd o'n rhy fawr . . . yn rhy fawr o lawer! Ac roedd ei draed ar goll yn rhywle.

Rholiodd y coesau'n blygiadau blêr nes y daeth ei fodiau i'r golwg a chyrhaeddodd am felt lledr Giaffar oddi ar y bync. Tynhaodd ef yn dynn dynn am ei ganol, a phlethu darn ohono oddi tanodd wedyn am nad oedd yna ddigon o dyllau i'w dynhau'n iawn.

Roedd yn teimlo fel bwgan brain. Ond doedd ganddo ddim dewis. Agorodd y drws a chamu allan yn drwsgl.

Dechreuodd Roli biffian chwerthin wrth weld yr olwg oedd arno. Gwnaeth ystum "Bwgan Brain" â'i cheg, ac aeth wyneb Dafydd yn goch guchiog. Ond roedd Giaffar yn ymddwyn fel na phetasai dim o'i le.

"Eistedd yn fan'ma, Dafydd," meddai. "Ac mi wna i fygiad o de."

Dringodd i'r garafán ac ymddangos wedyn yn syth

bin gyda dillad gwlyb Dafydd. Taenodd nhw ar lein gerllaw i sychu. Yna diflannodd drachefn.

Roedd Dafydd yn benderfynol nad oedd am ddweud gair wrth Roli. Ddim â hithau wedi ei alw'n fwgan brain! Doedd o ddim am ddweud gair petasai hi'n eistedd yno am *bythefnos!* Trodd oddi wrthi'n benderfynol. Twpsan!

Ciledrychodd Roli arno. Roedd hi eisio dweud "sori", ond nid *bloeddio* ddaru hi . . . ond galw. Ac ar Dafydd roedd y bai ei fod o'n wlyb domen. Doedd dim angen iddo sboncio fel petasai rhywun wedi rhoi pin ynddo fo.

"Sori," meddai'n gyndyn o'r diwedd.

Ni chymerodd Dafydd arno ei chlywed.

"Sori ddeudais i." Cododd Roli ei llais.

"O . . . iawn, ta," meddai Dafydd.

Ond doedd o ddim am siarad rhagor hefo hi chwaith. Ddim wedi iddi wneud ffŵl ohono fel'na. Eisteddodd y ddau'n ddistaw am ychydig. Yna daeth Giaffar o'r garafán â thri myg yn ei ddwylo. Estynnodd un bob un iddynt.

"Llowcia hwnna iti gael cynhesu," meddai.

Edrychodd Dafydd i mewn i'r myg a rhoes ei stumog dro. Roedd te cryf cryf ynddo, ac roedd olion bysedd duon Giaffar ar y myg hefyd.

"Diolch," meddai.

Cofiodd Dafydd am siarsio cyson ei fam. Beth ddywedai hi rŵan wrth weld yr olion bysedd? Trodd y myg i chwilio am lecyn glân i yfed ohono.

Roedd Roli'n edrych i mewn i'w myg hefyd. Efallai

nad oedd hithau'n licio te du fel triog, na myg "olion bysedd" chwaith, meddyliodd Dafydd. Gwyliodd hi'n cymryd llymaid bach bach. Roedd hi'n brwydro i yfed y te rhag pechu Giaffar.

"Mae paned gyda thipyn o liw arni'n werth ei chael," meddai Giaffar yn fodlon, gan bwyso'n ôl yn ei gadair a mwytho clustiau Siôn.

Gwnaeth Roli sŵn bach od y tu ôl i'w myg, ond ddywedodd hi ddim byd. Ddywedodd Dafydd ddim chwaith. Cymerodd lymaid brysiog o'r te du du, ac edrychodd yn slei ar Roli. Fedrai o ddim peidio â gwenu arni. Gwenodd hithau'n ôl. Llymeitiodd y ddau eu te gan geisio peidio â dangos i Giaffar fod blas drwg arno.

Efallai y bydden nhw'n ffrindiau wedi'r cyfan!

5

Fe sychodd dillad Dafydd yn fuan yn y gwres. Roedd o'n falch o gael eu gwisgo unwaith eto. Ac, wrth gwrs, fedrai Roli ddim chwerthin am ei ben, ddim ag yntau yn ei ddillad ei hun rŵan.

Ond rywsut, doedden nhw ddim yn edrych, nac yn teimlo, fel y dillad a wisgodd i gychwyn y bore hwnnw. Roedden nhw'n rincls crebachlyd drostynt, ac yn sych galed ar ei groen hefyd. Ac fe fyddai llygaid craff ei fam yn siŵr o sylwi fod rhywbeth wedi digwydd iddynt.

"Tyrd ti yma hefo Dafydd ryw ddiwrnod eto," meddai Giaffar wrth Roli. "Mae digon o bethau diddorol i'w gwneud yn y cwm yma."

Syllodd Dafydd yn syn arno. Oedd o 'rioed am sôn am gyfrinach y dyfrgi wrth Roli? Cyfrinach y fo a Giaffar oedd hynny, yntê? Croesodd Dafydd ei fysedd.

"Ia," meddai Giaffar heb gymryd sylw o wyneb anfodlon Dafydd. "Mae Dafydd a minna'n gwylio bywyd gwyllt yr ardal yma yn ogystal â physgota."

"Plis . . . peidiwch â sôn am y dyfrgi," meddyliodd Dafydd.

"Ac mae Dafydd 'ma'n eu darlunio nhw hefyd," meddai Giaffar. "Ydi dy lyfr gen ti, Dafydd?"

Aeth wyneb Dafydd fel tomato. Roedd o'n gratsh gwyllt wrth Giaffar am fradychu cyfrinachau. Ac wrth Roli o bawb!

"Nac ydi," meddai'n flin.

Roedd llygaid Roli arno. Roedd hi'n edrych fel

petasai'n synnu ei fod *o'n* medru darlunio. Wel, roedd yn ddarluniwr gwell na hi . . . yn siŵr o fod. Roedd mwy o brofiad ganddo fo na thwpsan o'r dre.

"Dyna ti, ta," meddai Giaffar. "Mi fyddwn ni'n dy ddisgwyl di, yn byddwn, Dafydd?"

Agorodd Dafydd ei geg i ddweud "Dim ffeiars". Yna fe welodd wyneb Roli. Roedd hi'n edrych wrth ei bodd.

Caeodd ei geg heb ddweud dim. Ond roedd yn siom fawr y tu mewn. Ei gyfrinach o a Giaffar oedd y dyddiau hir wrth lan yr afon, yntê? Ac wrtho fo, Dafydd, y bu Giaffar yn sôn am arferion bywyd gwyllt yr ardal. Yr adar a'r gwiwerod llwyd, y cwningod a'r dyfrgi, a chant a mil o bethau eraill. Roedd Giaffar yn eu hadnabod i gyd, ac yn gwybod ble i guddio'n ddistaw i'w gwylio.

Roedd Dafydd yn lwmp o genfigen wrth reidio adre. Roedd o wedi cael llond bol ar Roli.

"Dy rasio i'r ffordd," gwaeddodd Roli gan gyflymu ar y llwybr caregog.

Ond doedd calon Dafydd ddim mewn cystadlu. Roedd popeth yn mynd o chwith iddo . . . ac ar Roli roedd y bai.

Pedlodd yn araf ar ei hôl a'i ben yn ei blu. Mi fyddai Roli fel cysgod y tu ôl iddyn nhw rŵan. Châi o a Giaffar ddim eiliad i bysgota a gwylio ar eu pennau eu hunain. Daria hi!

"Mwnci tawedog," meddai Roli gan atal ei beic ar y llwybr. "Jest am dy fod ti wedi disgyn i'r afon."

"Ac ar bwy roedd y bai am hynny?" holodd Dafydd

40

yn bigog.

Gwnaeth Roli lygaid croes i'w gyfeiriad. Yna, rhoes ei phen i lawr a phedlodd fel randros am y ffordd . . . ac ymlaen wedyn i gyfeiriad ei chartre.

Dilynodd Dafydd yn araf ar hyd y llwybr. Be ddywedai ei fam, tybed? Wnâi hi sylwi ar yr olwg od oedd ar ei ddillad? Mi fyddai'n tantro wrth ei dad wedyn. Yn dweud na ddylai o, Dafydd, ddim mynd at Giaffar a phethau gwirion felly.

Ataliodd ei feic yn sydyn. Roedd rhywbeth ar wyneb y llwybr. Rhywbeth llwyd. Llyfr? Ie, llyfr darlunio Roli. Mae'n rhaid ei fod wedi disgyn o'i bag beic wrth iddi rasio ar y llwybr.

Plygodd i afael ynddo, a gwthiodd y teimlad euog o'i feddwl wrth iddo ei agor. Roedd yn gwybod y buasai Roli'n gandryll am iddo edrych ynddo. Ond, wrth gwrs, doedd o ddim yn gwybod yn *iawn* pwy oedd biau'r llyfr, nac oedd?

Trodd y tudalennau'n syn. Roedden nhw'n llawn o ddarluniau *grêt!* Rhai ardderchog! Gwiwer lwyd yn llamu ar goeden . . . cath yn eistedd ar ben y wal . . . cartref newydd Roli a'i theulu! Roedden nhw'n ddarluniau gwell o lawer na'i ddarluniau o!

Trodd ymlaen. Yna ataliodd y troi ar y dudalen ddiwethaf un. Gwylltiodd yn gacwn gwyllt. Syllai ei wyneb ei hun arno o'r dudalen. Wyneb â golwg cuchiog cas arno a llygaid bach milain yn gwgu ar bopeth. Ac roedd yna sgrifen oddi tano.

Dafydd mewn tymer!

Caeodd Dafydd y llyfr a stwffiodd ef i'w fag beic.

Roedd o'n gwgu a chuchio ac yn pedlo'n gynt ac yn gynt ar y ffordd adref er mwyn ceisio lliniaru ychydig ar ei dymer. "Dyna ddiwedd ar fod yn ffrindiau hefo Roli," fe addawodd wrtho'i hun. "Dydw i ddim am ddweud *gair* wrthi hi eto."

Cyrhaeddodd adre'n chwys domen.

"Wn i ddim sut rwyt ti'n llwyddo i wneud ffasiwn lanastr arnat dy hun," grwgnachodd ei fam gan edrych yn syn ar ei ddillad. "Mi gefaist ti ddillad glân y bore 'ma . . . a'r rheiny wedi'u smwddio'n dwt. Ac edrych arnyn nhw rŵan. Maen nhw'n rincls crimp i gyd."

Ddywedodd Dafydd run gair.

"I lawr wrth yr hen afon 'na trwy'r dydd," dwrdiodd ei fam. "A ble mae dy welingtons di, mi fuaswn i'n licio gwybod? Wela i mohonyn nhw yn y bag beic 'na."

"Wedi'u gadael nhw hefo Giaffar," eglurodd Dafydd.

Croesodd ei fysedd. Doedd hynny ddim yn gelwydd, yn nac oedd? Doedd o ddim am gyfaddef eu bod nhw'n wlyb domen a bod Giaffar wedi rhoi peli papur newyddion ynddyn nhw i'w sychu.

Gwingodd yn annifyr wrth deimlo llygaid ei fam arno. Ond gydag un olwg gas ar y dillad rincls, fe drodd ei fam am y gegin.

"Mae swper yn barod," meddai. "Dos i ddweud wrth dy dad."

Roedd Dafydd yn falch o gael ufuddhau. Efallai y byddai hi wedi anghofio am y dillad rincls erbyn iddynt orffen bwyta.

Roedd yna gig oen a phys a thatw wedi'u berwi i swper . . . a tharten gyraints duon hefyd. Bwytaodd Dafydd a'i ben yn ei blu. Roedd o'n dal yn gratsh boeth wrth gofio fel roedd Giaffar wedi gwahodd Roli i ddŵad hefo nhw . . . ac yn gacwn gwyllt wrth feddwl am lyfr darlunio Roli. Gwgodd ar y sleisen gig oedd ar ei blât.

"Wnaiff o mo dy frathu di," meddai ei fam.

"B-be?" holodd Dafydd.

"Y cig 'na. Rwyt ti'n sbïo arno fo ers meitin," meddai ei fam. "Bwyta, da ti."

"O . . . ia," meddai Dafydd yn guchiog.

Roedd o'n dychmygu sawl cosb ofnadwy ar gyfer Roli. Pethau fel trochi mewn bath olew poeth . . . a chyrlio'i gwallt pigau draenog yn dynn dynn nes y byddai'n gweiddi "mwrdwr" . . . neu, gwell fyth . . . dechreuodd wenu . . . gwell fyth fuasai gwneud llun ohoni hi hefo llygaid croes a thafod stumiau.

"Ddaliaist ti rywbeth?" holodd ei dad gan ymddangos am eiliad o'r tu ôl i'w bapur.

"Colli un," meddai Dafydd gan gofio am floedd Roli.

"Biti," meddai ei dad, a diflannu y tu ôl i'w bapur drachefn.

Roedd Dafydd wedi penderfynu. Fe wnâi lun o Roli. Un â wyneb hyll a thafod stumiau . . . a llygaid croes . . . a gwallt pigau draenog coch coch. Ac fe sgrifennai "Roli Stumiau" oddi tano, a mynd â fo a'i hoelio'n sownd ar goeden wedyn, fel y buasai *pawb* yn ei weld!

"Bobl bach!" meddai ei dad yn sydyn.

"Be sy?" holodd Dafydd a'i fam hefo'i gilydd.

"Fferm y Wern Uchaf wedi'i gwerthu," oedd yr ateb. "I ryw gwmni o'r enw Walker Developments yn ôl y papur 'ma. Pa ddatblygiadau fedr neb eu gwneud mewn lle fel y Wern Uchaf, ys gwn i?"

Roedd ffermdy'r Wern Uchaf wedi bod yn wag ers dwy flynedd, a doedd neb wedi dangos diddordeb ynddo fo na'r tir o'r blaen. Ar fferm y Wern Uchaf y bu Giaffar yn was am flynyddoedd, nes i'r perchennog farw.

"Efallai fod rhywun am ddŵad yno i fyw o'r diwedd," cynigiodd Mrs Owen. "Biti gweld y lle yn mynd yn adfeilion, tydi?"

Rhoes calon Dafydd dro sydyn. Ar dir y Wern Uchaf roedd o a Giaffar wedi gweld olion y dyfrgi. Beth petasai'r bobl newydd yn deddfu na châi neb fynd yno? Châi o a Giaffar ddim cyfle i weld y dyfrgi wedyn.

"Aros di," meddai Mr Owen wrth ei wraig yn sydyn. "Mae carafán Giaffar ar dir y Wern Uchaf, tydi? Er, mi glywais sôn fod yr hen William Jones wedi gadael y llecyn iddo yn ei ewyllys. Efallai y bydd y cwmni newydd 'ma eisio prynu'r darn tir ganddo fo. Yn enwedig os ydyn nhw am ddatblygu'r lle o ddifri."

Roedd Dafydd wedi ei syfrdanu. Perswadio Giaffar i adael ei gartre? Fedrai neb wneud hynny, na fedrai? Petasen nhw'n cynnig ffortiwn iddo fo!

"Syniad call iawn fuasai hynny," meddai Mrs Owen. "Mi fuasai un o'r tai henoed yn well o lawer iddo fo, yn lle aros yn ymyl yr hen afon 'na, heb na thap na thrydan."

Cododd a dechrau sodro'r llestri ar ei gilydd.

"Fe gâi gartre newydd a dechrau byw fel rhywun arall. 'Molchi'i hun, hefyd."

"Ond, Mam . . ." cychwynnodd Dafydd.

"Ond ddim," meddai ei fam yn bendant. "A hwyrach y buaset tithau'n callio wedyn, Dafydd, ac yn treulio dipyn o d'amser o gwmpas y lle 'ma, ac nid sleifio i ffwrdd i bysgota, ac wn i ddim be arall."

Neidiodd Dafydd ar ei draed.

"Rhaid imi fynd i weld Giaffar. Efallai nad ydi o'n gwybod am y gwerthiant."

"Does run o dy draed ti'n mynd i unlle heblaw i dy wely heno," meddai ei fam. "A dyna ben arni."

Aeth Dafydd i'w wely'n ddiweddarach, ond fedrai o gysgu run winc. Roedd o'n poeni rhag ofn i Giaffar benderfynu gadael y garafán. Efallai y cynigiai'r cwmni ffortiwn iddo. A beth ddeuai o Siôn wedyn? Fuasai o byth yn hapus mewn tŷ henoed.

Fe âi yno y peth cyntaf fore trannoeth, pender-fynodd, gan droi o un ochr i'r llall am y canfed tro. Roedd wedi anghofio popeth am Roli a'r gosb fawr roedd o wedi'i bwriadu ar ei chyfer. Giaffar oedd yn bwysig.

6

Doedd dim angen i'w fam ei ddeffro fore trannoeth. Roedd o wedi 'molchi a gwisgo a dod am ei frecwast cyn ei bod yn wyth o'r gloch bron.

Ond druan ohono a'i gynllun i fynd yn syth am Giaffar. Roedd ei dad eisio help yn yr ardd fasnach, ac roedd ei fam eisio iddo nôl neges o'r siop. Ac wedyn, roedd hi'n deddfu nad oedd o'n cael mynd yn agos at y garafán nes iddo gael cinio.

"Ga i ginio buan, ta?" holodd. "Plis, Mam."

"O . . . ôl reit," meddai Mrs Owen yn anfoddog. "Ond os ydi Giaffar yn ddyn call, mi fydd wedi penderfynu gwerthu."

"Ond mae'n rhaid iddo gael *gwybod*," meddai Dafydd.

Ond fe wyddai nad oedd fawr o ots gan ei fam. Roedd hi'n credu y buasai Giaffar yn hapusach mewn tŷ hefo dŵr a thrydan a thoiled tu mewn.

"Mae Giaffar yn mynd yn hen," meddai ei fam. "Beth petasai o'n mynd yn sâl yn y garafán, a neb yno i'w helpu?"

"Dydi Giaffar byth yn sâl," meddai Dafydd. "Ac mi fydda i yno bob dydd."

Llyncodd ei ginio heb ei flasu bron. Yna neidiodd ar ei feic a chychwyn i fyny'r cwm.

Trodd i'r llwybr. Roedd beic wedi'i ollwng yn ymyl a Roli'n chwilio yma ac acw a'i phen i lawr.

Cofiodd Dafydd am y llyfr darlunio. Ond rywsut, doedd fawr o ots ganddo am y darlun ynddo bellach.

Giaffar oedd yn bwysig.

"Hwda," meddai gan atal ei feic am eiliad a chyrraedd i'w fag. "Wedi ei weld o ddoe."

"Ooo . . ." meddai Roli.

"Iawn, ta," meddai Dafydd yn ffwr-bwt a pharatoi i bedlo ymlaen.

"Mynd at Giaffar?" holodd Roli.

"Ydw," meddai Dafydd.

"A finna," meddai Roli.

Stwffiodd y llyfr i'w bag a chyrraedd am ei beic. Reidiodd Dafydd ymlaen heb ddweud gair. Roedd o eisio cyrraedd y garafán a thorri'r newydd ofnadwy i Giaffar. Gollyngodd ei feic a brysiodd am y drws.

"Giaffar!" galwodd.

Eisteddai Giaffar wrth y bwrdd yn y garafán. Roedd torth sleis mewn bag papur agored ar y bwrdd a photel lefrith hanner llawn hefyd, a berwai tecell du ar y stof nwy fechan.

"Wedi dŵad am baned?" holodd Giaffar gan symud pentwr o hen bapurau newyddion iddyn nhw gael eistedd.

"Mae'r Wern Uchaf wedi'i werthu," ebe Dafydd.

"Wel, ydi," meddai Giaffar gan gymryd llymaid o'i de lliw triog. "Siŵr na chymrwch chi baned? Roli? Beth amdanat ti?"

"Dim diolch," meddai Roli.

Roedd hi'n methu â deall pam roedd Dafydd yn edrych mor boenus. Pa ots fod y Wern Uchaf 'ma wedi'i werthu? Roedd lot o leoedd yn cael eu gwerthu, doedd?

"Ond beth am eich carafán chi?" holodd Dafydd. "Wnewch chi ddim mynd o'ma, yn na wnewch?"

Gwenodd Giaffar. "Na wnaf, siŵr," meddai. "Dyma fy nghartre i, 'tê?"

"Ond beth petasen nhw am brynu'r lle?" holodd Dafydd yn boenus.

"Fedran nhw ddim gorfodi dyn i werthu os nad ydi o eisio," meddai Giaffar. "Waeth faint o arian sydd ganddyn nhw."

Gollyngodd Dafydd ei anadl yn fodlon.

"Grêt!" meddai.

Gwenodd ar Giaffar a gwenodd ar Roli. Roedd o'n ffrindiau hefo'r byd i gyd.

Gorffennodd Giaffar ei baned a chododd ar ei draed yn bwyllog.

"Beth am fynd i fyny'r cwm?" meddai. "Inni gael dangos tipyn o fywyd gwyllt i Roli?"

Roedd Dafydd mor falch nad oedd Giaffar am adael ei gartre, fel nad oedd wahaniaeth ganddo fod Roli hefo nhw bellach.

Gadawodd y tri y garafán a cherdded linc-di-lonc ar hyd glan yr afon. Roedd Giaffar yn gwybod am bopeth. Fe wyddai am wâl ysgyfarnog a chadno, ac fe wyddai am nythod adar a'r pyllau gorau i bysgota ynddynt. Ond yn well na'r cyfan, roedd o'n adnabod olion anifeiliaid gwyllt, ac yn gwybod am eu harferion hefyd.

Cyraeddasant fferm y Wern Uchaf. Edrychai'r tŷ yn unig a digalon am nad oedd neb wedi byw ynddo ers amser, ac roedd muriau gwynion y beudai wedi mynd yn flêr a budr yr olwg. Fe dyfai chwyn ar yr iard ac roedd y domen dail yn welltglas drosti.

Safodd Giaffar am eiliad ac ysgydwodd ei ben.

"Biti gweld yr hen le mor unig a digysur," meddai. "Teulu pell gafodd y lle ar ôl William Jones, a does ganddyn nhw ddim diddordeb mewn ffermio." Ysgydwodd ei ben yn ddigalon. "Ia . . . wel," meddai. "Pwy a ŵyr beth ddaw o'r hen le rŵan wedi i'r cwmni dieithr 'ma gael gafael arno fo."

Cerddasant ymlaen ar hyd glan yr afon nes cyrraedd gwern fechan. Yma fe droellai'r afon fel neidr igam-ogam, gan adael traethau bychain o ro a mân gerrig yma ac acw. Safodd Giaffar a'i lygaid yn chwilio'r traeth agosaf yn ofalus.

"Dyna nhw," meddai. "Olion dyfrgi. Welwch chi ôl ei bawennau . . a'r rheiny fel petasen nhw'n pwyso mwy ar un ochr na'r llall? Ac, ylwch, y pentwr o'i faw ar y gro yma. Dyna sut mae'n marcio'i diriogaeth."

"Iyc!" meddai Roli gan grychu'i thrwyn.

"Ond ble mae'r dyfrgi rŵan, Giaffar?" holodd Dafydd.

"Yn gorwedd yn gysurus yn rhywle," oedd yr ateb. "Mae o'n licio cysgu yn ystod y dydd, a dŵad allan gyda'r nos i nofio a chwilio am fwyd."

"Biti na fuasen ni'n 'i weld o," meddai Dafydd.

Roedd digon o leoedd iddo guddio, meddai Giaffar. Rhwng gwreiddiau coed neu greigiau, efallai, neu mewn pentwr o hen goediach wedi'u torri gan ffermwr. Ond er iddyn nhw lygadu a llygadu, ni fedrent ei weld yn unman.

"Efallai nad ydi o yma ar hyn o bryd," eglurodd Giaffar. "Mae dyfrgi yn crwydro'i gylch . . . a hwnnw'n gylch eang hefyd. Cymaint â thri deg kilometr a mwy yn aml, er mwyn chwilio am fwyd."

Roedd Dafydd a Roli yn teimlo'n reit siomedig wrth gerdded yn ôl am y garafán. Mi fuasen nhw wedi hoffi gweld dyfrgi.

Gollyngodd Giaffar ei hun i'w gadair haf ac estyn ei goesau allan yn flinedig. Edrychodd Dafydd ar ei wyneb, ac am y tro cyntaf meddyliodd tybed a oedd geiriau ei fam yn wir. Oedd Giaffar yn mynd yn hen? Tybed a fuasai'n well iddo fyw mewn cartref henoed a chael prydau parod a phethau felly?

Ond na. Fuasai'r cwm byth run fath heb y garafán . . . a heb Giaffar yn ei welingtons "topiau lawr" a'i het gantel lydan am ei ben . . . a Siôn wrth ei sawdl . . . a thre triog du mewn myg . . . a gwialen yn ei law a — a — a . . .

"Grêt yma, tydi?" meddai Roli'n ddiog.

Gwenodd Dafydd arni. Doedd hi ddim mor ddrwg â hynny, meddyliodd. Jest ei bod hi'n dipyn o niwsans weithiau.

Cododd Siôn ei glustiau'n sydyn. Syllodd i gyfeiriad y llwybr a dechrau cyfarth.

"Iawn, was. Be sy?" holodd Giaffar.

Trodd pawb i lygadu'r llwybr. Roedd dyn mewn siwt fusnes â bag swyddogol yr olwg dan ei fraich yn cerdded tuag atynt.

"Mr Jenkins?" holodd fel y cyrhaeddodd y ffens.

"Pwy mae o'i eisio?" rhyfeddodd Dafydd.

"Y fi, wrth gwrs," meddai Giaffar.

Syrthiodd gên Dafydd. Chlywodd o neb yn galw Giaffar yn "Mistar" o'r blaen.

"Mr Jenkins?" meddai'r dyn eto.

Cododd Giaffar, a Dafydd a Roli hefyd. Chwyrnodd Siôn yn isel yn ei wddf wrth i'r dyn agosáu.

"Bydd ddistaw, Siôn," gorchmynnodd Giaffar gan roi llaw ar ei goler. "Ia, y fi ydi Jenkins," meddai.

Troediodd y dyn yn ofalus rhwng y mân drugareddau o gwmpas y garafán. Roedd hen feic bregus Giaffar yno a phentwr o drugareddau rhydlyd; roedd brigau aflêr wrth ochr olion tân awyr agored ac estynnai lein ddillad o gongl y garafán hyd at frigyn coeden gerllaw, â throwsus a chrys bratiog yn crogi'n llipa arni.

Edrychodd y dyn arnynt i gyd a chrychodd ei drwyn.

"Mr Rowlands ydw i," meddai'n bwysig. "Yn cynrychioli cwmni Walker Developments, perchenogion newydd y Wern Uchaf," ychwanegodd gan geisio ymddangos yn glên a chyfeillgar. "Oes modd imi gael gair hefo chi, Mr Jenkins?"

Edrychodd Giaffar arno am eiliadau hir cyn ateb.

"Oes," meddai o'r diwedd.

"Rhywle preifat, wrth gwrs," meddai'r dyn gan lygadu Dafydd a Roli.

"Dowch i'r garafán," meddai Giaffar yn reit swta.

Eisteddodd Dafydd a Roli wrth y garafán i ddisgwyl. Beth oedd y dyn pwysig ei olwg eisio hefo Giaffar, tybed?

Roedd lleisiau'n dod o'r garafán. Lleisiau distaw i

ddechrau . . . yna'n uwch ac yn uwch. Roedd sŵn wedi gwylltio yn llais Giaffar, ac yn llais Mr Rowlands hefyd.

"Mae'r cynnig yn un digon teg," meddai Mr Rowlands. "Wedi'r cyfan, dydi'r lle 'ma fawr o werth, yn nac ydi?"

"Mae o'n werth llawer i mi," meddai Giaffar. "A dydw i ddim yn bwriadu gwerthu i chi na neb arall. Byth!"

"Rydw i'n siŵr y medrwn ni ddŵad i gytundeb, Mr Jenkins. Mae Walker Developments eisio'r lle'n breifat iddyn nhw eu hunain." Roedd y dyn yn ceisio ymddangos yn rhesymol garedig. "Ylwch. Maen nhw'n bwriadu ehangu'r Wern Uchaf. Canolfan wyliau . . . gyda marchogaeth a chanŵio, maes carafannau a gwesty moethus gyda chlwb nos, efallai. A wnaiff y garafán . . ." Edrychodd o'i gwmpas. "Wel . . . wnaiff hi ddim ffitio'r patrwm, Mr Jenkins. Mi fydd popeth yn newydd yn y lle 'ma. Mi agorwn ni'r afon a chlirio'r coed, mi fydd yma erddi drudfawr, a llwybrau wedi'u tario fel y ffordd bost o bobtu'r afon."

"A beth am y llwybrau sydd yma'n barod?" holodd Giaffar.

Cododd Mr Rowlands ei ysgwyddau.

"Preifat hollol fydd y datblygiad, Mr Jenkins. A chyda datblygiad mor ddrudfawr, fyddwn ni ddim yn gadael i bobl gerdded y lle fel y mynnon nhw, wrth gwrs."

Edrychodd ar Giaffar eto.

"Dowch rŵan, rydyn ni'n cynnig pris hael ichi. Pris

53

hael iawn hefyd."

Roedd Dafydd a Roli wedi'u syfrdanu.

"Ydi o'n mynd i hel Giaffar o'ma?" holodd Roli. "Fedr o ddim gwneud hynny, yn na fedr?"

"Ssh!" meddai Dafydd.

Doedd ots ganddo ei fod yn clustfeinio ar sgwrs pobl eraill. Roedd hyn yn *bwysig!*

"A beth am fywyd gwyllt y cwm?" holodd Giaffar.

"Mi fuasai'r cwmni'n cymryd y gofal mwya o beth felly, wrth gwrs. Ond mae'r cwm yma'n ddigon mawr, yn tydi? A buan iawn y symuden nhw i rywle arall. Rŵan . . . beth amdani, Mr Jenkins? Mae'r cynnig yn un teg."

"Byth," meddai Giaffar.

"O . . . dowch rŵan," meddai'r dyn.

"Byth," meddai Giaffar eto.

Cododd ar ei draed a bu'n rhaid i Mr Rowlands wneud run fath.

"Ewch â'r neges yn ôl i'r cwmni," meddai Giaffar. "Byth!"

"Mwy o arian . . . efallai?"

"Byth," meddai Giaffar yn derfynol.

Gafaelodd Mr Rowlands yn ei fag busnes a cherdded oddi yno mewn tymer ddrwg.

"Mi roeddech chi'n grêt, Giaffar," meddai Dafydd a Roli hefo'i gilydd.

Nodiodd Giaffar. Ond roedd golwg ddigalon arno.

"Maen nhw'n mynd i ddifetha'r cwm 'ma," meddai. "Y nhw â'u marchogaeth a'u canŵio a'u gwesty moethus. A chaiff neb gerdded y llwybrau na physgota'r afon wedi iddyn nhw newid popeth."

Roedd Dafydd a Roli'n teimlo'n ddigalon hefyd. Chaen nhw ddim crwydro i fyny'r cwm wedi i'r cwmni hawlio'r lle. Roedd Mr Rowlands wedi dweud.

"Mi ymladdwn ni," meddai Roli'n benderfynol. "Does dim rhaid derbyn pethau heb ymladd. Gewch chi weld."

"Ond . . . sut?" holodd Dafydd.

"Wn i ddim . . . ond rywsut," meddai Roli'n dalog. "Chân nhw ddim prynu carafán Giaffar, a chân nhw ddim difetha'r cwm chwaith."

Bu'r tri yn ddistaw am eiliadau hir. Roedd Giaffar yn mwytho Siôn â golwg synfyfyriol ar ei wyneb. Yna cododd a mynd i'r garafán i ferwi'r tecell. Daeth yn ôl â thri myg yn llawn o de du fel triog.

Ond roedd Dafydd a Roli'n pendroni gormod i falio llawer am flas y te nac am yr olion bysedd. Yfasant yn ddistaw.

"Deiseb," meddai Dafydd yn sydyn. "Mynd o gwmpas y cwm a'r pentre i gasglu enwau. Mi fydd pawb yn siŵr o arwyddo."

"Hwrê!" meddai Roli. "Rwyt ti'n iawn, Dafydd. Deiseb ydi'r ateb."

Gwenodd y ddau ar ei gilydd . . . ac ar Giaffar.

"Y ni ein tri yn erbyn Walker Developments," meddai Roli'n benderfynol.

Roedd hi wedi anghofio popeth am fod yn gas a chuchiog wrth Dafydd. Roedd Dafydd wedi anghofio bod yn guchiog yn ôl hefyd. Roedd brwydr fawr i'w chychwyn. Brwydr achub y cwm.

7

Edrychodd mam Dafydd yn hurt arno.

"Deiseb?" meddai. "Deiseb be, yn neno'r tad?"

"Deiseb achub y cwm, Mrs Owen," meddai Roli. "Maen nhw am droi'r Wern Uchaf yn ganolfan wyliau."

"Wela i ddim o'i le mewn datblygu dipyn ar yr ardal," meddai Mrs Owen. "Fe ddaw â thipyn o fywyd i'r lle 'ma . . . a gwaith i bobl rhag eu bod nhw'n gorfod trafaelio milltiroedd i chwilio amdano."

"Ond . . . Mam," meddai Dafydd. "Maen nhw'n trio prynu carafán Giaffar, ac maen nhw am dorri coed a chael canŵio a marchogaeth, a fydd y cwm ddim run fath wedyn."

"Hrmm!" oedd unig ateb Mrs Owen.

Aeth y ddau i'r ardd at dad Dafydd.

"Deiseb?" holodd yntau wedi gwrando ar y stori. "Wnaiff o fawr o les, mae'n debyg, ond dydych chi ddim gwaeth â thrio. Wn i ddim faint o bobl wnaiff arwyddo chwaith. Mae gwaith yn brin iawn yn yr ardal 'ma."

"Ond mi wnewch chi arwyddo, yn gwnewch, Dad?" holodd Dafydd.

Pendronodd ei dad am ychydig.

"Rhaid imi ystyried y peth, Dafydd," meddai. "Yn enwedig hefo datblygiad mawr fel'na. Efallai y buaswn i'n medru gwerthu llysiau iddyn nhw. Dydi'r ardd fasnach 'ma ddim yn gwneud elw mawr ar hyn o bryd."

Fe deimlai Dafydd yn siomedig ofnadwy. Roedd o

wedi meddwl yn siŵr y byddai ei rieni yn eu cefnogi.

"Mi ofynnwn ni i Mam," cysurodd Roli.

Reidiodd y ddau eu beiciau i gartref Roli. Roedd Mrs Rees yn ei stiwdio yn gweithio ar ddarlun mawr.

"Ymm?" meddai'n ymholgar fel y brysiodd y ddau i mewn.

Ond doedd ganddi hithau fawr o ddiddordeb, hyd yn oed wedi iddyn nhw egluro'r sefyllfa, a dweud pa mor bwysig oedd iddyn nhw ddechrau brwydro i achub y cwm.

"We-el . . ." meddai gan gyffwrdd ei brws yn ysgafn yn y darlun o'i blaen. "Gwnewch chi fel y liciwch chi, ddim ond ichi fyhafio'ch hunain, a pheidio â phoeni pobl. Mae gen i waith i'w wneud."

Teimlai'r ddau yn siomedig iawn. Aethant trwodd i'r gegin ac estynnodd Roli ddau dun Coke o'r oergell a phapur i sgrifennu arno. Eisteddasant wrth y bwrdd.

"Be rown ni'n bennawd?" holodd Roli gan ddal ei beiro'n barod.

"Achub y Cwm," penderfynodd Dafydd. "Mewn llythrennau bras."

Sgrifennodd Roli. Yna disgwyliodd.

"Be arall?" holodd o'r diwedd.

"Ymmm!" meddai Dafydd. "Ymmm . . ."

Edrychodd y ddau ar ei gilydd heb syniad beth i'w roi nesaf.

"Mi wn i," meddai Roli o'r diwedd.

Sgrifennodd gan ddarllen yn uchel run pryd.

"Rydym . . . ni . . . sy'n arwyddo'r . . . ddeiseb . . . hon . . . yn gwrthwynebu . . . bwriad . . . cwmni

Walker Developments . . . i adeiladu . . . canolfan wyliau . . . yma."

"Yn y Wern Uchaf," cynigiodd Dafydd. "Hynny'n well, dydi?"

"Yn y . . . Wern . . . Uchaf," sgrifennodd Roli.

"Pam?" meddai Dafydd wedyn.

"Pam, be?" holodd Roli.

"Rhaid dweud pam, yn bydd? Neu fydd pobl ddim yn gwybod."

O'r diwedd roedd y ddeiseb yn barod. Darllenodd Roli hi.

> Rydym ni sy'n arwyddo'r ddeiseb hon yn
> gwrthwynebu bwriad Walker
> Developments i adeiladu canolfan wyliau yn
> y Wern Uchaf. Bydd hyn yn difetha
> harddwch a bywyd gwyllt y cwm.

Doedd run o'r ddau'n siŵr a oedd ganddyn nhw hawl i arwyddo'r ddeiseb eu hunain, ond cyn iddyn nhw gychwyn, fe sgrifennon nhw Roli Rees a Dafydd Owen ar ben y rhestr. Yna fe baciodd Roli frechdanau caws a dau afal a thuniau Coke i'w cynnal nes y caent gyfle i ddod adre i nôl pryd go iawn.

Aeth yn ôl at ei mam.

"Ydych chi am arwyddo, Mam?" holodd.

"Iawn," meddai ei mam yn synfyfyriol a'i sylw ar y darlun o'i blaen. "Estyn feiro."

Arwyddodd heb ei darllen.

"Byddwch yn ofalus," meddai cyn anghofio popeth amdanynt.

"Wn i ddim ydi derbyn llofnod heb i rywun ei darllen yn gyfreithlon," poenodd Roli.

"Dim ots. Llofnod ydi llofnod," meddai Dafydd. "Mae ganddon ni dri rŵan, does?"

Beiciodd y ddau am y pentre.

"Efallai y bydd pobl yn troi'n gas wrth inni ofyn," meddai Dafydd.

"Twt," meddai Roli gan wneud llygaid croes.

Dechreuodd Dafydd boeni. Roedd o'n siŵr na wnâi neb arwyddo'r ddeiseb wedi gweld y ffasiwn wyneb!

"Rhaid iti wenu . . . nid gwgu," rhybuddiodd.

"Hy!" meddai Roli. "Mi wna i wyneb cas os ydw i eisio."

Arhosodd y ddau wrth giât y tŷ cyntaf mewn rhes o dai teras. Gollyngodd Roli ei beic ar bwys y wal a gafaelodd yn dynn yn y ddeiseb. Yna ymdeithiodd yn gadarn i fyny'r llwybr at y drws a chnociodd arno.

Ymhen hir a hwyr daeth dynes ganol oed at y drws. Roedd ganddi ddwster yn un llaw a chan chwystrellu yn y llall.

"Rydych chi'r plant eisio cael eich noddi at rywbeth o hyd," grwgnachodd. "Taith gerdded i gasglu arian i'r ysgol oedd y diwetha. Beth ydi o y tro yma?"

"O . . . dydyn ni ddim eisio cael ein noddi," brysiodd Dafydd i egluro. "Deiseb ydi hon. Deiseb 'Achub y Cwm'. Mae cwmni dieithr am ddatblygu'r Wern Uchaf. Mi fyddan nhw wedi difetha popeth ac wedi . . ."

"Sgin i ddim amser i wrando," meddai'r ddynes.

"Ble mae'ch beiro chi?"

Gafaelodd yn y ddeiseb a'i harwyddo'n frysiog. Stwffiodd hi'n ôl i ddwylo Roli a chaeodd y drws heb iddyn nhw gael cyfle i ddweud gair arall.

"O . . . wel," meddai Roli. "Mae ei henw hi ar y ddeiseb, dydi?"

"Ia . . . ond arwyddo er mwyn cael gwared â ni ddaru hi," meddai Dafydd. "Ddim am ei bod hi'n malio."

"Be 'di'r ots?" meddai Roli gan anelu'n benderfynol am ardd y drws nesaf.

Ond er iddyn nhw gnocio a chnocio, ni ddaeth neb at y drws.

"Efallai eu bod nhw i gyd yn gweithio," meddai Dafydd.

Aethant ymlaen. Daeth dyn ifanc at y drws y tro hwn. Roedd tymer ddrwg iawn arno.

"Fel petasai gen i ddim digon o waith," meddai. "Mae'r peiriant golchi ar streic a dilyw ar lawr y gegin. Os ydych chi'n casglu at rywbeth . . . sgin i ddim amser." Ac fe gaeodd y drws yn glep.

"Wel . . . diolch yn fawr," meddai Roli wrth y drws caeëdig.

Aethant ymlaen at dŷ a safai ar ei ben ei hun. Roedd yr ardd wedi tyfu'n wyllt ac roedd chwyn yn drwch yng nghraciau'r llwybr concrit.

"Does neb yn byw yma," meddai Roli.

"Ond mae mwg yn dod o'r corn," meddai Dafydd.

Cnociodd Roli. Ni ddaeth symudiad am amser hir, yna fe agorodd y drws yn araf. Safai hen wraig yno, yn pwyso ar ffon. Goleuodd ei llygaid fel y gwenodd arnynt.

"Dowch i mewn . . . dowch i mewn," meddai gan droi'n ôl i'r lobi.

"Na . . . dim ond casglu enwau ydyn . . ." cychwynnodd Dafydd.

Ond nid oedd yr hen wraig wedi aros i wrando. Roedd hi wedi cychwyn yn araf ar hyd y lobi ac yn galw tros ei hysgwydd.

"A chaewch y drws."

Ufuddhaodd y ddau cyn ei dilyn am y gegin gefn.

"Gwastraffu amser," hisiodd Roli o dan ei gwynt. "Pam na fuaset ti'n dweud yn iawn wrthi hi?"

"Pam na fuaset *ti?*" holodd Dafydd yn bigog. "Mae gen tithau dafod hefyd."

Fe roddodd Roli andros o bwniad iddo fel y cyrhaeddodd y gegin, a bu bron iddo â baglu'n lleden. Dechreuodd Dafydd ddifaru iddo gychwyn casglu enwau hefo Roli.

Gwenodd yr hen wraig arnynt. Roedd ei gwallt yn wyn wyn a gwisgai sbectol drwchus ar ei thrwyn. Roedd ei dwylo'n grebachlyd gam gan y cryd cymalau.

"Mi gymrwch baned," meddai.

Edrychodd y ddau ar ei gilydd. Nid dŵad i *yfed* oedden nhw. Rhoes Roli bwniad i Dafydd eto.

"Deuda wrthi," hisiodd.

"Deuda di," hisiodd Dafydd yn ôl.

"Mae bisgedi yn y tun," meddai'r hen wraig. "Jest â llwgu y gwelais i blant erioed."

"Diolch yn fawr ichi," meddai Dafydd. "Ond does

gynnon ni ddim llawer o amser. Casglu enwau i ddeiseb ydyn ni," eglurodd.

Daeth golwg ddigalon i wyneb yr hen wraig. Trodd i roi'r tun bisgedi yn ôl yn y cwpwrdd.

"Rhaid imi beidio â'ch cadw chi, felly," meddai.

Edrychodd Roli a Dafydd ar ei gilydd. Roedd yr un peth ym meddwl y ddau. Hen wraig unig oedd hi.

Llyncodd Dafydd ei boer yn annifyr. Fuasen nhw ddim gwaeth ag aros am ychydig, yn na fuasen?

"Na . . . mi gymrwn ni baned o de," meddai heb edrych ar Roli.

"A bisged hefyd, diolch yn fawr," meddai Roli.

A phan ferwodd y tecell, Roli a dywalltodd y dŵr i'r tebot ac estyn cwpanau tsieni o'r cwpwrdd . . . ac agor y tun bisgedi hefyd.

"Mae paned mewn cwpan denau yn well o lawer," meddai'r hen wraig yn fodlon.

Eisteddodd yn ei chadair a gwenu arnynt.

"A be oeddech chi eisio hefyd?" holodd.

"Casglu enwau i'r ddeiseb 'ma, ylwch," meddai Roli. "Maen nhw am ddifetha'r cwm. Am gael maes carafannau a marchogaeth a gwesty mawr. Fydd y lle ddim run fath, yn na fydd?"

"A sdim ots ganddyn nhw am y bywyd gwyllt," meddai Dafydd. "Ac maen nhw eisio prynu carafán Giaffar."

"Wnewch chi arwyddo?" holodd Roli

"Gwnaf siŵr," meddai'r hen wraig. "Rydw i'n cofio'r cwm fel y byddai ers talwm."

Estynnodd Roli y papur a'r beiro iddi ac arwyddodd

hithau ef yn araf ofalus. Yna eisteddodd yn ôl yn ei
chadair a chau ei llygaid. Yn sydyn roedd hi'n pen-
dwmpian cysgu.

"Be wnawn ni?" sibrydodd Roli. "Mynd?"

"Wn i ddim," meddai Dafydd.

Safodd y ddau'n ansicr. Yna daeth sŵn allwedd yn
nrws y ffrynt, ac yn fuan daeth dynes i mewn. Roedd
bag neges yn ei llaw. Edrychodd yn ddrwgdybus ar
Roli a Dafydd.

"A be ydych chi'n ei wneud yma?" holodd yn
wyliadwrus.

Deffrodd yr hen wraig wrth glywed ei llais.

"O . . . y chi sy 'na, Mrs Jones?" meddai.

"Wedi dŵad â neges o'r siop, a thamaid o ham ichi i
ginio," meddai'r ddynes.

Edrychodd ar Roli a Dafydd eto.

"Casglu enwau i ddeiseb ydyn ni," meddai Dafydd.

"Ac mi berswadais inna nhw i gadw cwmpeini imi
am ychydig bach," meddai'r hen wraig. "Dydw i'n
gweld fawr neb y dyddiau yma."

"Wel, mae'n well ichi fynd rŵan," meddai Mrs
Jones. "Mi fydda i yma am yr hanner awr nesaf.
Cymorth cartre, 'tê?"

"Wnewch chithau arwyddo hefyd?" holodd Roli
gan estyn y ddeiseb iddi. "Plis."

"Fydda i byth yn arwyddo dim heb ei astudio'n
ofalus," meddai Mrs Jones.

Gafaelodd yn y ddeiseb a'i darllen yn ddistaw.

"Does gynnoch chi fawr o enwau, yn nac oes?"
sylwodd.

Brysiodd Dafydd i egluro.

"Newydd ddechrau ydyn ni," meddai.

Ond wir, roedd o'n teimlo fel pe buasai wedi bod yn casglu enwau ers *wythnosau!*

O'r diwedd fe arwyddodd Mrs Jones. Cerddodd gyda nhw i'r drws. Rhywsut, doedd hi ddim yn ymddangos yn gyfeillgar iawn. Roedd hi run fath â phetasai hi'n eu drwgdybio. Efallai ei bod hi'n meddwl eu bod nhw'n bwriadu dwyn o dŷ'r hen wraig. Aeth wyneb Dafydd yn fflamgoch wrth feddwl am y fath beth.

Cerddodd y ddau ymlaen gan gnocio ar ddrws ar ôl drws nes roedden nhw wedi blino'n lân. Amser cinio, fe eisteddon nhw ar fainc yn y parc i fwyta'u brechdanau caws, ac yna ailddechrau cnocio drachefn.

Erbyn diwedd y pnawn roedden nhw wedi llenwi un dudalen o'r ddeiseb. Edrychodd y ddau'n benisel arni.

"Sawl enw sy 'na?" holodd Dafydd gan edrych ar y dudalen tros ysgwydd Roli.

Rhifodd hithau. "Tri deg pump," meddai. "Roeddwn i'n gobeithio am *gant!*"

Pedlodd y ddau'n ôl i gartre Dafydd wedi digalonni'n lân. Dim ond tri deg pump! A hwythau wedi cnocio a chnocio ar ddrysau pobl.

"A faint o lwc gawsoch chi?" holodd Mrs Owen.

Gafaelodd yn y ddeiseb.

"Tri deg pump? Wel, wnewch chi ddim achub y cwm fel hyn, yn na wnewch?"

Roedd yn rhaid iddyn nhw feddwl am rywbeth arall. Ond beth?

8

"Rhaid cael posteri hefyd," meddai Roli gan neidio ar ei thraed a chwifio'r ddeiseb yn gyffrous. "Posteri i'w rhoi yn ffenestri'r siopau er mwyn i bobl eu gweld nhw a chymryd sylw."

"Wrth gwrs," meddai Dafydd yr un mor gyffrous. "Rhai â darlun arnyn nhw."

Edrychodd ar Roli.

"Mi fedret ti wneud darlun poster da, Roli," meddai. "Rwyt ti'n grêt am wneud lluniau."

Gwgodd Roli.

"Preifat ydi hynny," meddai. "Doedd gen ti ddim busnes sbïo ar fy llyfr i."

"Ia . . . ond mi wnaet ti lun grêt," meddai Dafydd. "Well o lawer na fi," cyfaddefodd wedyn.

"Hy!" meddai Roli â golwg styfnig ar ei hwyneb.

Trodd ei chefn ar Dafydd yn bwdlyd.

"Mae'n well gen ti lyncu mul nag achub y cwm," meddai Dafydd. "Mi wna i boster fy hun, ta."

Gafaelodd yn ei lyfr darlunio a phin ffelt a llygadodd y dudalen lân gan ddyfalu sut boster i'w wneud.

O'r diwedd fe eisteddodd Roli wrth ei ochr. Doedd hi ddim am gydnabod ei bod hi wedi llyncu mul heb fawr o achos. Doedd neb . . . *neb* i fod i fusnesu yn ei llyfr darlunio heb ganiatâd. Ddim ei mam . . . na'i thad . . . na Dafydd . . . na *neb!* Yn enwedig ei mam. Fe fuasai hi'n beirniadu pob darlun a dweud nad oedd coes neu ben neu gynffon yn iawn. A chas beth Roli oedd bod yn ferch i arlunydd enwog.

"O . . . tyrd â fo yma," meddai o'r diwedd wrth weld Dafydd yn eistedd heb wneud dim.

Bu'r ddau wrthi'n cynllunio poster nes y daeth yn amser swper. Wedi hir ddadlau, copïodd Roli lun dyfrgi o lyfr natur Dafydd a sgrifennu "Achubwch y Cwm" mewn llythrennau bras o bobtu iddo.

"Mi awn ni â fo i'r llyfrgell y peth cyntaf bore fory," meddai Dafydd. "Mae ganddyn nhw beiriant llun-gopïo."

"Ond mi fydd eisio talu," meddai Roli. "Ugain ceiniog sy gen i."

Rhoes Dafydd ei law yn ei boced. Tynnodd ddau ddarn arian allan.

"Ac mae gen i ddeugain ceiniog," meddai.

"Wel . . ." meddai Mrs Owen. "Rydych chi wedi gweithio'n galed ar y poster yna. Efalla y medra i sbario hanner can ceiniog ichi at y gost."

Cododd ei llaw wrth eu gweld yn dechrau gwenu.

"Ddim fy mod i'n siŵr ydych chi'n gwneud y peth iawn, cofiwch," rhybuddiodd. "Mae pobl eisio gwaith yn y cwm 'ma."

Ond doedden nhw ddim am ddigalonni. Hefo hanner can ceiniog Mrs Owen . . . ac ugain ceiniog Roli . . . a deugain ceiniog Dafydd, wel, roedden nhw'n siŵr o gael digon o bosteri i'w dosbarthu.

Ac ar ben deg fore trannoeth, roedden nhw'n brysio trwy ddrws y llyfrgell. Roedd merch ifanc yn brysur y tu ôl i'r cownter.

"Y peiriant llun-gopïo? Sawl copi?" holodd gan edrych arnynt tros ei sbectol.

"Ymm . . . faint ydi'r gost?" holodd Dafydd.

"Deg ceiniog y copi," oedd yr ateb.

"Mae ganddon ni ddigon i gael un ar ddeg," meddai Roli.

Diflannodd y ferch.

"Fydd gen i ddim i'w wario tan yr wythnos nesaf," meddai Dafydd yn benisel, gan feddwl pa mor braf fuasai cael hufen iâ a hithau'n ddiwrnod mor boeth.

Dychwelodd y ferch gan wenu.

"Hoffech chi imi roi poster i fyny yma?" holodd. "Mae at achos da, yn tydi?"

"Plis," meddai Roli a Dafydd hefo'i gilydd.

"Wnewch chi arwyddo'r ddeiseb hefyd?" gofynnodd Roli.

"Wrth gwrs," cytunodd y ferch ar unwaith. "A be wnewch chi hefo hi wedyn?"

"Yyymm . . .?"

Edrychodd y ddau ar ei gilydd yn ddryslyd. Roedden nhw wedi rhoi eu bryd ar gasglu llu o enwau, a dim wedi meddwl yn iawn beth i'w wneud wedyn. I ble roeddech chi'n anfon deiseb? I'r Cyngor Cymuned . . . i'r papur newydd . . . i . . . i ble? Edrychodd y ddau ar ei gilydd.

Gwenodd y ferch.

"Mynd â hi i'r Adran Gynllunio yma yn y dre fydd orau," meddai.

Nodiodd yn sydyn bendant.

"Dewch yn ôl ata i am help," meddai. "Rydw i hefo chi gant y cant mewn achos fel hyn. Mae pobl yn ddifater nes mae'n rhy hwyr."

Nodiodd arnynt eto.

"Da iawn chi am geisio gwneud rhywbeth. Holwch am Miss Preis pan fyddwch chi yma nesaf. Carys Preis."

Gadawodd y ddau y llyfrgell mewn hwyliau da. Roedd ganddyn nhw rywun yn barod i'w helpu rŵan, on'd oedd? Rhywun oedd hefo nhw gant y cant, meddai hi.

"Yipî!" bloeddiodd Dafydd yn sydyn. "Mi enillwn ni hefyd, gei di weld."

Ond doedd Roli ddim mor siŵr. Sut roedden nhw'n mynd i ddeffro pobl i'r perygl a wynebai'r cwm? Fyddai ots ganddynt? Ond fe geisiodd anghofio ei hamheuon fel y bu'r ddau yn dosbarthu'r posteri i'r siopau. Yna safasant ar y palmant. Efallai y byddai pobl yn darllen y posteri . . . ac yn ysgwyd eu pennau . . . ac yn dweud peth mor ofnadwy oedd dinistrio cwm mor brydferth . . . ac yn dweud eu bod nhw'n poeni am y bywyd gwyllt . . . ac yn . . . yn . . . Safodd y ddau ar y palmant i wylio.

Ond fe brysurai pobl heibio heb gymryd fawr o sylw. Roedden nhw'n mynd i mewn ac allan o'r siopau ac yn sefyll i sgwrsio o flaen y ffenestri; roedd teuluoedd yn cludo bagiau siopio ac yn gwthio pramiau hefo babis yn cysgu'n braf ynddyn nhw; ond doedd fawr neb yn aros i edrych ar y posteri.

Tynnodd Roli'r ddeiseb o'i phoced a chamodd ymlaen yn sydyn.

"Achubwch y Cwm," gwaeddodd ar dop ei llais. "Arwyddwch y ddeiseb i achub y cwm."

Dechreuodd Dafydd weiddi a chwifio'i dudalen yntau hefyd, er ei fod o'n chwys domen wrth weld pobl yn edrych yn od arno.

"Achubwch y Cwm!" gwaeddodd. "Achubwch y Cwm!"

Fe arhosodd ambell un i holi ac i arwyddo . . . ond fe gerddodd rhai eraill heibio gan ysgwyd eu pennau.

"Rhed!" meddai Roli'n sydyn. "Plismon!"

Cychwynnodd ar ras ar hyd y palmant.

"Pam . . .?" cychwynnodd Dafydd.

Yna fe redodd yntau hefyd. Doedd o ddim yn siŵr pam, ond wrth weld Roli'n dychryn ac yn rhedeg, fedrai yntau ddim peidio â charlamu chwaith.

Arhosodd y ddau i gael eu gwynt atynt wedi troi'r gongl.

"Be oedd eisio rhedeg?" holodd Dafydd. "Mi fuasen ni wedi medru gofyn am ganiatâd."

"I blismon?" wfftiodd Roli. "Efallai mai yn y carchar fuasen ni. Ymyrryd ar heddwch pobl ar balmant cyhoeddus, neu rywbeth felly."

"Twpsan," meddai Dafydd.

"Twpsyn dy hun," meddai Roli gan wneud llygaid croes.

"Rydw i'n mynd adra," meddai Dafydd.

"Llwfrgi," meddai Roli.

"Y chdi redodd gynta," meddai Dafydd.

Gwgodd y ddau ar ei gilydd. Roedden nhw wedi anghofio popeth am ymgyrch "Achub y Cwm".

Pedlodd y ddau heb ddweud gair ar hyd y ffordd nes cyrraedd cartref Dafydd. Erbyn hyn roedden nhw wedi cofio pa mor bwysig oedd yr ymgyrch. Roedden nhw wedi cofio am Giaffar a Siôn, am yr adar a'r cwningod a'r cadno, ac am olion y dyfrgi a welsant yn nhywod glan yr afon.

"Sori," meddai Roli er ei bod hi'n dal i gredu mai twpsyn dwl o'r wlad oedd Dafydd.

"Sori," meddai Dafydd er ei fod yntau'n credu mai twpsan benstiff o'r dre oedd Roli.

"Beth am fynd i weld Giaffar?" meddai Dafydd.

"Iawn," cytunodd Roli.

Roedden nhw ar fin pedlo ymlaen pan ddaeth mam Dafydd o'r tŷ.

"A ble rydych chi eich dau'n mynd rŵan?" holodd. "Na . . . peidiwch ag ateb," meddai wedyn. "I weld Giaffar, wrth gwrs. Wel . . . gofalwch eich bod chi'n ôl yma erbyn swper a dim munud hwyrach. Mi ffonia i fam Roli rhag ofn ei bod hi'n poeni. Wyt ti'n dallt rŵan, Dafydd? Swper am hanner awr wedi chwech."

Nodiodd Dafydd yn ddiflas. Roedd ei fam yn tantro byth a beunydd am ba mor bwysig oedd hi i ddŵad adre mewn pryd, ac i adael iddi wybod yn union ble'r oedd o'n mynd a phethau felly.

Reidiodd y ddau ar hyd y llwybr. Roedd Giaffar yn eistedd yn ei gadair haf wrth ochr y garafán.

"Hylo!" meddai. "Dyma blant dieithr."

"Wedi bod yn casglu enwau i ddeiseb 'Achub y Cwm', Giaffar," meddai Dafydd. "Ac mae eisio'ch enw chithau arni hefyd."

"Rydyn ni wedi casglu lot," meddai Roli gan estyn beiro i Giaffar. "Wel . . . lot go lew," meddai wedyn.

"Ac mi rydyn ni am fynd â hi i'r Adran Gynllunio, ac mae Miss Preis o'r llyfrgell wedi gaddo helpu."

Nodiodd Giaffar.

"Mae o wedi bod yma wedyn," meddai. "Y Mr Rowlands 'na. Yn cynnig mwy o arian imi."

"Wnaethoch chi 'rioed dderbyn, Giaffar?" meddai Dafydd yn syn.

"Naddo," meddai Giaffar. "Ond mae Mr Rowlands yn ddyn penderfynol iawn. Synnwn i ddim na wela i o eto. Ac eto, ac eto, hefyd."

"Ond wnewch chi byth dderbyn, yn na wnewch, Giaffar?" meddai Dafydd. "Fan'ma ydi'ch cartre chi, 'tê? A Siôn hefyd. A chofiwch am y pysgota . . . a'r anifeiliaid gwyllt . . . a'r dyfrgi a phopeth."

"Ia. Fan'ma ydi fy lle i," cytunodd Giaffar yn bendant. "A fedr run Mr Rowlands fy mherswadio i adael."

Ochneidiodd Dafydd a Roli'n falch.

"Ddowch chi am dro i fyny'r afon?" holodd Dafydd wedi anghofio popeth am eiriau ei fam. "Efalla y gwelwn ni'r dyfrgi heddiw."

Ond ysgwyd ei ben wnaeth Giaffar.

"Mae'n well i chi eich dau fynd am adre cyn iddi hwyrhau," meddai.

Cytunodd y ddau'n llugoer. Rhywsut, doedd brysio adre'n blant da'n fawr o hwyl. A doedd o ddim yn ddiwedd iawn i ddiwrnod o ymdrech chwaith.

"Beth am fynd ar ein pennau ein hunain?" cynigiodd Roli wrth reidio'i beic ar hyd y llwybr. "Dim ond awr fyddwn ni."

"Iawn," cytunodd Dafydd ar unwaith.

Gollyngodd y ddau eu beiciau yng nghysgod llwyn mieri a chychwyn i fyny'r cwm. Roedd hi'n ddiwedd pnawn tesog ac fe suai pryfed yn ddiog o dan y coed fel y cerddai'r ddau ar hyd glan yr afon.

Cyraeddasant y fferm ac anelu ymlaen wedyn am y wern fechan lle y dangosodd Giaffar olion y dyfrgi iddynt. Roedd y ddau'n symud yn ddistaw ddistaw erbyn hyn, jest rhag ofn y byddai'r dyfrgi yno.

"Efallai y bydd o wedi deffro . . . ac yn dwâd allan i chwilio am fwyd," sibrydodd Dafydd.

Cyrcydodd y ddau yng nghysgod twmpath mieri a syllu i gyfeiriad yr afon. Buont yn aros yno am amser hir. Ond nid oedd symudiad yn unlle.

Edrychodd Dafydd i fyny i gyfeiriad yr haul. Roedd yn dechrau machlud. Cofiodd am siars bendant ei fam. "Gofalwch eich bod chi'n ôl yma erbyn swper," ddywedodd hi. Faint oedd hi o'r gloch rŵan, tybed? Fe fyddai ei fam yn gacwn gwyllt os byddai'n hwyr.

Agorodd ei geg i ddweud hynny wrth Roli, ond rhewodd yn sydyn fel y gafaelodd hithau'n sydyn boenus yn ei fraich.

"Y dyfrgi!" sibrydodd. "Yli!"

Roedd creadur brown â chynffon hir a chlustiau smwt yn sefyll ar lan yr afon. Roedd ganddo sgwaryn llwydwyn o dan ei ên a blewiach locsen o gwmpas ei geg. Roedd ei ben i fyny fel petai'n ffroeni'r awel. Yna llithrodd yn ddistaw o dan y dŵr.

Cyrcydodd y ddau am eiliadau eto. Roedden nhw wedi gweld y dyfrgi! Ble'r oedd o rŵan? Chwiliodd eu llygaid yr afon, ond nid oedd dim i'w weld. Oedd o wedi mynd? Yna gwelsant ben bychan yn ymddangos uwch yr wyneb fel y nofiodd y dyfrgi i fyny'r afon.

"Rydyn ni wedi'i weld o," meddai Dafydd gan ollwng ei anadl yn araf araf.

"Do," meddai Roli'n fodlon.

Gwenodd y ddau ar ei gilydd.

"Fedran nhw ddim gwneud canolfan wyliau yma *rŵan*," meddai Roli. "Mae dyfrgwn yn *bwysig!*"

"Mae cyrraedd adre erbyn swper yn bwysig hefyd," meddai Dafydd yn sydyn gan daflu cipolwg frysiog ar ei wats.

Nefi! Roedden nhw'n *hwyr!*

"Brysia," galwodd.

Cychwynnodd y ddau ar ras i lawr y cwm. Roedd yr haul yn graddol ddisgyn at y gorwel ac fe ddaeth awel fach oeraidd i godi croen gŵydd ar eu breichiau. Fydden nhw byth adre'n ddigon buan, fe wyddai Dafydd hynny. Ac fe fyddai ei fam yn gandryll!

Cyraeddasant giât buarth y Wern Uchaf ar ras wyllt. Roedden nhw hanner y ffordd trosodd cyn sylwi fod modur wedi'i barcio yno a bod lleisiau i'w clywed rywle o gyfeiriad y tŷ.

Sgrialodd y ddau i'w hunfan. Be wnaen nhw rŵan a hwythau'n tresmasu? Nesaodd y lleisiau.

"I'r beudy," meddai Dafydd o dan ei wynt. Doedd o ddim am aros i gael y drefn.

"Iawn," meddai Roli yr un mor isel gan redeg ar wib am y drws agored.

Rhedodd Dafydd i'w ddilyn gan geisio cipedrych o'i

ôl rhag ofn i berchenogion y lleisiau ddod i'r amlwg a'u gweld. O . . . diar! Brathodd ei dafod ar waedd sydyn fel y baglodd a disgyn yn lleden ar y buarth.

Disgynnodd sgwaryn papur o'i boced. Dalen o'r ddeiseb! Cyrhaeddodd Dafydd amdani'n frysiog. Pwff! Gafaelodd yr awel ynddi yn union fel y cyffyrddodd ei fysedd ynddi a'i chwythu'n chwareus o'i afael.

"Brysia!" hisiodd Roli o ddiogelwch y beudy.

Roedd hi ar bigau'r drain wrth glywed y lleisiau'n nesáu, ac wrth weld Dafydd ar ei fol ar y buarth.

"Brysia!" hisiodd eto.

Cododd Dafydd yn frysiog. Roedd ei ben-lin yn brifo . . . a'i benelin yn brifo . . . ac roedd o'n siŵr fod ganddo lwmp fel wy hwyaden ar ei dalcen. Ond doedd dim amser i deimlo'i friwiau nac i gael gafael ar y ddeiseb chwaith. Roedd y lleisiau bron â chyrraedd.

Fe'i taflodd ei hun trwy ddrws y beudy yn union fel y daeth Mr Rowlands a dyn arall heibio i gongl y beudy.

"Whiw!" meddai.

Cyrcydodd Dafydd yn fychan bach wrth ochr Roli a chipedrychodd heibio i'r drws agored. Roedd y dynion wedi aros wrth wal y beudy i siarad. Dratia nhw! Pam na fuasen nhw'n neidio i'r car ac yn mynd i ffwrdd?

"Rydw i wedi colli'r dudalen ddeiseb," sibrydodd yng nghlust Roli.

"Wel . . . y llyffant blêr!" sibrydodd honno'n ôl.

Llygadodd y ddau heibio i bostyn y drws. Roedd y dudalen ddeiseb fel baner fawr ar wyneb y buarth. Fe fyddai'r dynion yn siŵr o'i gweld.

"Sut y buost ti mor flêr?" holodd Roli'n flin.

Nesaodd Mr Rowlands a'r dyn arall gam neu ddau. Roedden nhw'n dal i drafod. Ciliodd Dafydd a Roli oddi wrth y drws yn ddistaw rhag ofn iddyn nhw eu gweld.

"Am be maen nhw'n siarad?" sibrydodd Roli'n sydyn.

Roedd hi bron yn siŵr iddi glywed enw Giaffar.

"Am Giaffar?" sibrydodd eto.

"Sssh, wnei di, er mwyn imi gael clywed," sibrydodd Dafydd rhwng ei ddannedd.

Pam na fedrai Roli gau ei cheg am unwaith er mwyn iddo gael gwrando?

"Mr Jenkins? O . . . mae o'n siŵr o dderbyn y cynnig nesaf," meddai Mr Rowlands. "Dydi ei garafán a'i fymryn tir yn werth fawr ddim, ond mi gynigiwn ni ddigon iddo ailfeddwl."

"A beth os mai gwrthod wnaiff o?" holodd y llais arall.

"Yna mi fydd yn rhaid inni ei berswadio . . . yn bydd," meddai Mr Rowlands mewn llais caled. "Dim byd peryg, wrth gwrs, ond *mae* yna ffordd i berswadio'r mwyaf styfnig, on'd oes?"

Llamodd calonnau Dafydd a Roli i'w gyddfau. Beth roedden nhw am ei wneud i Giaffar os na fyddai'n cytuno?

"Ond fydd dim angen dim byd felly, rwy'n siŵr," meddai Mr Rowlands fel yr anelodd am y car. "Mae arian yn berswadiwr da."

Arhosodd yn sydyn.

"Beth ydi hwn, tybed?" holodd gan blygu i godi'r dudalen ddeiseb.

Agorodd y dudalen o'i phlygiad.

"Hmm!" meddai gan edrych arni am eiliad. "Rhestr o enwau. Ys gwn i be . . .?"

Llygadodd y ddwy ochr i'r dudalen.

"Hm! Dyna od," meddai eto. "Dim ond rhestr o enwau ar y ddwy ochr."

Rhewodd Roli a Dafydd yn y beudy.

"Dim o bwys," meddai Mr Rowlands o'r diwedd, wedi astudio'r ddwy ochr yn drwyadl eto.

Gwasgodd y dudalen yn belen a'i thaflu i gyfeiriad y gwrych. Yna camodd y ddau i'r car. Taniwyd y peiriant a symudodd y car yn araf i lawr y ffordd garegog.

Disgwyliodd Dafydd a Roli iddo ddiflannu yn y pellter cyn rhuthro allan o'r beudy.

"Whi-iiw!" meddai Dafydd gan anelu am y belen papur. "Lwcus nad oedd pennawd ar y dudalen yma. Wnaeth o ddim meddwl mai rhan o ddeiseb oedd hi."

Datododd y belen ac edrychodd yn ddifrifol ar y rincls oedd arni.

"Dratia las!" meddai. "Dydi hi'n dda i ddim rŵan."

"Ydi siŵr," meddai Roli. "Mi ofynnwn i dy fam ei smwddio wedi cyrraedd adre."

Ond doedd Mrs Owen ddim mewn tymer i smwddio dim pan gyrhaeddon nhw'r tŷ mor hwyr. Roedd hi'n rhy brysur yn dwrdio a dwrdio, ac addo na châi Roli a Dafydd ddim crwydro'r cwm eto. Byth!

9

Wrth lwc, roedd tymer Mrs Owen wedi lliniaru ychydig erbyn bore trannoeth, er ei bod hi'n dal i siarsio fod yn rhaid i rieni wybod ble'r oedd eu plant . . . BOB AMSER! A bod yn rhaid i blant ddod adre mewn pryd hefyd . . . BOB AMSER!

"A dalltwch chi," meddai gan lygadu'r ddau ohonynt. "Wnaiff dŵad adre'n hwyr mo'r tro o hyn ymlaen. Neu mi gewch anghofio am ymgyrch 'Achub y Cwm' y funud 'ma," bygythiodd.

"Ond mi gawn ni fynd i'r Adran Gynllunio bore 'ma, yn cawn, Mam?" holodd Dafydd. "Mae'n rhaid inni. Rydyn ni eisio rhoi'r ddeiseb iddyn nhw."

"O . . . ôl reit," meddai Mrs Owen yn anfodlon. "Ond mi fydda i'n eich disgwyl chi eich dau 'nôl i ginio. Cofiwch chi, rŵan."

Yn ddiweddarach, fe gerddodd y ddau i mewn i gyntedd yr Adran Gynllunio yn y dre. Roedd dynes brysur yr olwg yn eistedd wrth ddesg y dderbynfa.

"Deiseb?" meddai. "Y chi?"

Roedd hi'n edrych fel petasai'n methu â phenderfynu beth i'w wneud hefo nhw. Prun ai egluro lle'r oedd yr Adran Gynllunio, ynteu gorchymyn iddynt fynd oddi yno ar unwaith, a pheidio â gwastraffu amser pobl brysur. Llygadodd y ddau o'u corun i'w sawdl.

"I fyny'r grisiau . . . y coridor ar y chwith . . . y pumed drws ar y dde," meddai o'r diwedd.

Atseiniai eu traed yn fwganllyd fel y dringasant y

grisiau concrit a cherdded ar hyd coridor hir hir wedyn.

Cnociodd Dafydd ar y pumed drws ar y dde.

"Dowch i mewn," meddai llais o'r tu mewn.

Safai dyn bochgoch llydan wrth y ffenest.

"Ia?" meddai. "A be ga i ei wneud i chi?"

"Wedi dŵad a deiseb 'Achub y Cwm' ydyn ni," meddai'r ddau ar yr un gwynt.

"Cwm Onnen," eglurodd Dafydd.

"Achub y Cwm? O . . . mi wela i," meddai'r dyn yn araf gan afael yn y ddeiseb a'i hastudio'n ofalus.

"Mae 'na lot o bobl wedi arwyddo," meddai Roli.

"Rydw i'n ei derbyn ar ran yr Adran Gynllunio," meddai'r dyn. "Ac mi gewch lythyr swyddogol trwy'r post, wrth gwrs . . . ond imi gael eich cyfeiriad. Ydych chi eisio gweld y cynlluniau?"

Arweiniodd nhw at fwrdd ymhen pellaf yr ystafell.

"Dyma nhw," meddai. "Cynlluniau Canolfan Wyliau Cwm Onnen."

Dechreuodd egluro'r cynlluniau gan bwyntio yma ac acw â'i fys.

"Troi'r hen ffermdy'n westy . . . y beudai'n unedau cysgu . . . maes carafannau yn y fan yma . . . llwybrau . . . plannu coed yn gysgod a thorri rhai yn y fan yma . . . cwt canŵio ar lan yr afon . . . mae'r cyfan yn cael ei ddangos."

Astudiodd Roli a Dafydd y cynlluniau heb ddeall llawer.

"Ond chaiff neb grwydro'r cwm wedyn," meddai Roli.

"Fedr neb gau llwybr cyhoeddus os ydi o'n cael ei ddefnyddio'n gyson," cysurodd y swyddog.

"O!" meddai Roli a Dafydd yn amheus.

Roedd Mr Rowlands wedi bygwth na châi neb roi troed ar dir y Wern Uchaf. Lle preifat fyddai yno, medda fo.

"Mi welsoch hysbyseb yr Adran Gynllunio yn y papur, debyg?" holodd y swyddog. "Yn rhyfedd iawn, chawson ni fawr ddim ymateb. Pedwar llythyr, os ydw i'n cofio, ac, wrth gwrs, eich deiseb chi rŵan."

"Ond dydi o ddim yn deg," meddai Dafydd. "Maen nhw'n trio perswadio Giaffar i werthu'i garafán a'i ddarn tir iddyn nhw . . . ac mae o'n byw yno ers *oesoedd!*"

"Wel," meddai'r swyddog. "Mae'r Pwyllgor Cynllunio'n cyfarfod yr wythnos nesaf. Ac mi fydd eich deiseb chi a'r pedwar llythyr dderbynion ni yn cael eu trafod. Rydyn ni'n talu sylw i wrthwynebiadau bob amser."

"Gawn ni ddŵad yno?" holodd Roli.

"Mae rhyddid i bawb ddŵad," meddai'r swyddog. "Ond iddyn nhw fyhafio'u hunain, wrth gwrs."

"Pam na wnewch chi atal y cwmni rhag difetha'r cwm?" holodd Roli'n ffyrnig.

Ochneidiodd y swyddog fel pe buasai'n hoffi gwneud rhywbeth i'w helpu, ond na wyddai beth.

"Rydyn ni'n cymryd popeth i ystyriaeth cyn penderfynu," cysurodd. "Cyflenwad dŵr . . . ffordd hwylus . . . carthffosiaeth . . . y tirlun a'r amgylchedd . . . yr holl wrthwynebiadau lleol hefyd. Ond does 'na ddim llawer o'r rheiny hyd yn hyn, yn nac oes? Dim ond eich deiseb chi a phedwar llythyr."

Ystyriodd am funud.

"Y peth gorau, wrth gwrs," meddai, "fuasai i lot o bobl anfon llythyrau. Mae'r rheiny'n cyfrif llawn cymaint â deiseb. Mwy efallai, am fod pobl wedi trafferthu sgrifennu, 'tê? Ac mi fuasen ni'n darllen rhai ohonyn nhw'n gyhoeddus yn y pwyllgor."

"Diolch," meddai Roli gan afael ym mraich Dafydd a'i arwain at y drws.

"Ia . . . diolch," mwmialodd Dafydd gan ddyfalu pam roedd Roli ar gymaint o frys.

"Chefais i ddim amser i ddiolch iddo fo, jest," grwgnachodd fel y caeodd y drws wrth eu sodlau. "Be ydi'r brys?"

"Chwilio am bobl i sgrifennu llythyrau, siŵr iawn. *Cannoedd* ohonyn nhw," meddai Roli.

"A phwy sy'n mynd i sgwennu llythyr, a ninnau'n methu â'u perswadio nhw i arwyddo deiseb?" wfftiodd Dafydd.

"Mae'n rhaid eu gorfodi nhw," meddai Roli'n bendant.

Sgrialodd i'w hunfan yn sydyn.

"Mi wnaiff Miss Preis helpu," meddai. "Tyrd!"

Rhedodd y ddau ochr yn ochr i gyfeiriad y llyfrgell. Ffrwydrasant trwy'r drws a'u taflu eu hunain i gyfeiriad y cownter.

Gwenodd Carys Preis arnynt.

"Hylo!" meddai. "Rydych chi ar frys garw."

"Miss Preis! Does yna ddim amser i'w golli,"

meddai Roli gan ymladd am ei gwynt. "Mae cyfarfod y Pwyllgor Cynllunio yr wythnos nesa . . . ac rydyn ni eisio *cannoedd* o lythyrau er mwyn i'r swyddog eu darllen ynddo fo."

"Ia . . . dim ond pedwar llythyr a'n deiseb ni maen nhw wedi'u derbyn," meddai Dafydd. "A dydi hynny ddim digon i achub y cwm, yn nac ydi?"

"Mae'n awr ginio imi ymhen chwarter awr," meddai Miss Preis gan edrych ar ei wats. "A pheidiwch â phoeni am y llythyrau. Mae 'na ddigon ar eu ffordd."

Edrychodd Roli a Dafydd yn hurt arni.

"Digon?"

"Oes. Mae pobl yn dechrau deffro i'r frwydr o'r diwedd. Disgwyliwch chi chwarter awr, ac mi ga i gyfle i siarad hefo chi."

"Ond fedrwn ni ddim aros," meddai Dafydd, er ei fod o ar dân eisio clywed rhagor.

Roedd o'n cofio am eiriau ei fam. Fe fyddai hi'n eu disgwyl yn ôl i ginio, ac mi fyddai'n grac ofnadwy petasen nhw'n hwyr eto.

"Fydd dim ots gan dy fam," meddai Roli. "Mae achub y cwm yn bwysicach na mynd adre am ginio."

Ond roedd Dafydd yn bendant na fuasai ei fam yn cyd-weld. Roedd hi wedi eu siarsio.

"Beth petaswn i'n picio i'ch cartre ar ôl fy nghinio?" holodd Miss Preis. "Fydda i fawr o dro yn y car."

Cytunodd Dafydd yn ddiolchgar. Ac wedi iddo egluro i Miss Preis ble'r oedd yr ardd fasnach, fe bedlodd o a Roli fel dwy seren wib am adre.

"Hmm!" meddai Mrs Owen gan edrych ar y cloc yn

arwyddocaol. "Cael a chael fuo hi, 'tê?"

"Mi fydd Miss Preis o'r llyfrgell yma yn y munud, Mam," meddai Dafydd. "Mae 'na lot o bobl am achub y cwm, medda hi. A does dim amser i'w wastraffu. Mae'r Pwyllgor Cynllunio'n cyfarfod yr wythnos nesaf."

"Ac mae angen *cannoedd* o lythyrau," meddai Roli. "Rhaid i'r swyddog gael llond bocsys ohonyn nhw i'w darllen yn y pwyllgor."

Roedden nhw newydd orffen eu cinio pan ddaeth sŵn car o'r tu allan. Brysiodd Dafydd i agor y drws.

"Rŵan," meddai Miss Preis wedi iddi ysgwyd llaw hefo'i rieni. "Nid y chi'ch dau yw'r unig rai sy'n poeni am ddyfodol y cwm. Mae criw ohonon ni'n ffurfio grŵp 'Achub Cwm Onnen'. Mae'r cyfarfod cyntaf yn y neuadd heno 'ma. Gobeithio y byddwch chi eich dau a'ch rhieni yno."

"Grêt!" meddai Dafydd a Roli.

Edrychodd rhieni Dafydd ar ei gilydd. Roedden nhw'n dechrau ailystyried.

"Mae prydferthwch Cwm Onnen yn werth ei warchod, yn tydi?" meddai Miss Preis. "Mi ymladdwn ni i'r eitha i'w achub rhag cwmnïau sy'n meddwl am ddim ond am elw."

Nodiodd Mr Owen. Roedd o'n cofio'r dyddiau ers talwm, cyn iddo fo a Mrs Owen briodi. Mi fydden nhw'n cerdded llwybrau Cwm Onnen ar nosweithiau braf yr adeg honno. Na, châi Walker Developments mo'i ddifetha, penderfynodd.

"Ymladd . . . ymladd . . . ac ymladd eto ydi'r

ateb," meddai Miss Preis. "Popeth fedrwn ni feddwl amdano fo. Llythyrau . . . protestiadau . . . gorymdeithiau . . . rhywbeth!"

Y funud nesaf roedd Miss Preis wedi neidio ar ei thraed ac anelu am y drws.

"Rhaid imi fynd. Ddim eisio bod yn hwyr. Saith o'r gloch yn y neuadd heno," meddai cyn diflannu i'w char a chwyrlïo ei ffordd yn ôl am y llyfrgell.

Eisteddodd Mr Owen i sgrifennu llythyr protest yn syth bin, ac aeth Mrs Owen i olchi'r llestri. Edrychodd Roli a Dafydd ar ei gilydd. Roedd yn rhaid iddyn nhw fynd i weld Giaffar.

"Yn ôl erbyn te, Mam," gwaeddodd Dafydd gan gychwyn trwy'r drws.

Ochneidiodd Mrs Owen. Roedden nhw'n byw a bod hefo Giaffar, meddyliodd. A hithau wedi meddwl y buasai Dafydd yn fodlon yng nghwmni Roli!

Beiciodd y ddau yn wyllt am y garafán. Dim ots am y llwybr anwastad a'r llyw yn gwingo'n aflonydd yn eu dwylo. Roedd ganddyn nhw newydd pwysig i Giaffar. *Dau* newydd pwysig. Y cyfarfod yn y neuadd heno . . . a'r ffaith eu bod nhw wedi gweld y dyfrgi. Mi fyddai Giaffar wrth ei fodd.

Arhosodd y ddau i edrych i lawr ar y garafán. Roedd dau yn sefyll wrth ei drws. Giaffar . . . a phwy? Mr Rowlands?

"Brysia," gwaeddodd Dafydd gan ollwng ei feic a chychwyn ar ras i lawr y llwybr.

Roedd o'n cofio am eiriau Mr Rowlands y tu allan i feudy'r Wern Uchaf.

"Mae Giaffar mewn perygl."

Dilynodd Roli ef a'i gwynt yn ei dwrn. Cyrhaeddodd y ddau i glywed llais Giaffar.

"Byth! Ydych chi'n clywed? Byth!"

Cyfarthodd Siôn yn wyllt o dan y garafán a rhuthrodd hyd at eithaf ei dennyn.

"Ond Mr Jenkins. Rydyn ni'n cynnig arian teg. Mwy na theg hefyd. Ac fe wyddoch chi beth all ddigwydd mewn lle anghysbell fel hyn . . . Mae cymaint o ddamweiniau, on'd oes?"

"Ydych chi'n meiddio fy mygwth?" gofynnodd Giaffar gan gamu ymlaen yn fyrbwyll.

"Dim ond rhybuddio . . ." cychwynnodd Mr Rowlands mewn llais cas.

Ac yna, fe ddigwyddodd popeth ar amrantiad. Fe gododd Mr Rowlands ei fraich i atal Giaffar, ac ar yr un pryd fe lwyddodd Siôn i blannu'i ddannedd yng nghoesau'r dyn a fygythiai ei feistr. Anelodd Mr Rowlands gic anferth ato, ac yn yr ymrafael collodd ei gydbwysedd a phwyso'n sydyn frwnt yn erbyn Giaffar. Baglodd Giaffar yn ei ôl a tharo'i ben fel y syrthiodd yn sypyn llonydd i'r llawr . . . ac aeth Siôn yn gynddeiriog wyllt.

"GIAFFAR!" gwaeddodd Roli a Dafydd gyda'i gilydd gan ruthro ymlaen.

Sbonciodd Mr Rowlands wrth glywed y lleisiau sydyn a throdd yn frysiog.

"Damwain," meddai. "Baglu wnaeth o."

Gorweddai Giaffar yn llonydd ag afon o waed yn llifo i lawr ei wyneb. Roedd siâp od ar ei goes.

"Rydych chi wedi'i ladd o," gwaeddodd Roli a'i llais yn crynu.

Penliniodd Dafydd a hithau wrth ei ochr.

"Wedi taro'i ben, dyna'r cyfan," meddai Mr Rowlands mewn llais hunan-gyfiawnhaol. "Y ci felltith 'na ymosododd arna i. Synnwn i ddim nad ydi ôl ei ddannedd arna i."

"Ymosod am eich bod chi'n bygwth Giaffar wnaeth o," haerodd Dafydd yn ffyrnig. "Mi glywodd Roli a fi chi."

Tynnodd Mr Rowlands hances o'i boced a rhwbiodd ei dalcen yn ffrwcslyd.

"Damwain," meddai wedyn. "Damwain hollol. Doeddwn i ddim yn meddwl . . ."

"Giaffar!" erfyniodd Roli. "Dwedwch rywbeth."

"Dos i nôl Dad, Roli," meddai Dafydd. "Mae angen ambiwlans . . . a doctor . . ." Edrychodd yn gas ar Mr Rowlands. ". . . heddlu hefyd. Mi arhosa i yma i warchod Giaffar."

Caeodd ei ddyrnau a llygadodd Mr Rowlands fel pe buasai'n ei herio i gymryd cam yn nes.

"Brysia!"

Cychwynnodd Roli ar ras. Eisteddodd Mr Rowlands ar bentwr o goed tân yn sydyn.

"Ar y ci roedd y bai," meddai. "Yn ymosod."

Ond nid atebodd Dafydd. Roedd o wedi gwlychu ei hances a'i dodi ar y briw oedd ar gorun Giaffar, ac wedyn fe aeth i nôl blanced o'r garafán. Ond doedd o ddim am gyffwrdd yn ei goes er ei bod hi'n edrych yn anghyffyrddus ofnadwy. Estynnodd y disgwyl yn hir

. . . hir. Eisteddodd y ddau yno gan edrych ar wyneb gwelw Giaffar heb ddweud gair.

Yna daeth lleisiau o ben y llwybr fel y brysiodd rhieni Dafydd am y garafán.

"Dydw i ddim yn licio'i olwg o," meddai Mrs Owen gan orchymyn Dafydd i symud o'r neilltu. "Ac mae wedi torri'i goes, synnwn i ddim."

Plygodd i deimlo pyls Giaffar a chwiliodd ei bysedd y briw ar ei gorun.

"Estyn flanced arall imi, Dafydd. Rhaid ei rholio'n rholyn i arbed ei goes. Biti na fuasai gen i rywbeth i rwymo'i draed hefo'i gilydd hefyd."

"Mae'r ambiwlans a'r heddlu ar eu ffordd," meddai Mr Owen gan lygadu Mr Rowlands. "Mae Roli yn eu disgwyl, ond fedr yr ambiwlans ddim dŵad yn agos."

Cododd Mr Rowlands a dechrau cerdded yn ôl ac ymlaen yn gynhyrfus.

"Damwain hollol," meddai. "Y ci ymosododd arna i."

Pletiodd mam Dafydd ei cheg heb ddweud gair. Sut roedd Giaffar wedi disgyn? Dyna oedd y cwestiwn.

"Damwain hollol," haerodd Mr Rowlands wedyn wrth yr heddlu . . . ac wrth y dynion ambiwlans . . . a'r doctor. Wrth bawb a wrandawai arno. "Y ci a ymosododd arna i."

"Mi gymra i'r manylion ganddoch chi i gyd," meddai'r plismon wedi i'r dynion ambiwlans gludo Giaffar am yr ysbyty. "Gan ddechrau hefo chi, Mr Rowlands," meddai wedyn. "Rŵan . . . roeddech chi'n siarad hefo Mr Jenkins. Sut y syrthiodd o?"

10.

Roedd Giaffar yn yr ysbyty. Dodwyd rhwymyn am ei ben a chafodd driniaeth a phlaster i'w goes. Aeth dau ddiwrnod heibio, a'r pnawn hwnnw oedd y tro cyntaf y cafodd Roli a Dafydd ganiatâd i ymweld ag ef.

Roedd Giaffar yn pwyso'n ôl ar bentwr o glustogau ac yn gwrando'n astud ar y ddau'n egluro fel y cyrhaeddon nhw at y garafán yr union eiliad y llwyddodd Siôn i frathu Mr Rowlands, am ei fod yn bygwth ei feistr.

"We-el," meddai Giaffar yn ystyriol. "Nid ar Mr Rowlands oedd y bai i gyd, cofiwch. Mi gollais inna fy limpin hefyd, a chamu ymlaen braidd yn fyrbwyll."

"Ddim arno fo . . .?" meddai Dafydd yn anghrediniol. "Ond mi welson ni . . ."

"Roedd hi'n dipyn o ffrae," cytunodd Giaffar. "Ond doedd o ddim am fy nharo."

"Ond roedd o'n siarad wrth feudy'r Wern Uchaf," meddai Roli. "Siarad yn gas am berswadio, a phethau felly."

Edrychodd y ddau ar Giaffar. Roedd o'n edrych yn hen a gwelw yn ei wely. Nid fel y Giaffar llawn hwyliau a arferai ddangos y bywyd gwyllt iddyn nhw yn y cwm. Ac roedd golwg ddigalon iawn arno hefyd.

"Waeth imi werthu iddyn nhw ddim," meddai. "Fedra i ddim byw yno rŵan a finnau wedi torri 'nghoes. Mi fydd yn rhaid imi fynd i gartre henoed nes y medra i gerdded yn iawn, meddan nhw."

"Ond . . ." meddai Dafydd.

Fedrai o ddim dychmygu'r cwm heb Giaffar. Beth wnâi Giaffar heb ei garafán . . . a Siôn . . . a rhyddid ei fywyd ar ei ben ei hun? A beth wnâi Roli ac yntau heb Giaffar i'w ddysgu i bysgota . . . ac i wylio'r bywyd gwyllt . . . ac i wneud te du fel triog iddynt hefyd? A beth am Siôn?

"Ond mae pawb yn ymladd i achub y cwm," meddai Dafydd. "Mae criw o bobl yn mynd i'r Pwyllgor Cynllunio . . . ac yn cynnal protest y tu allan hefyd. Mi fyddwn ni'n siŵr o ennill, mi gewch chi weld."

"Ia," meddai Roli. "Ac wedi inni ddweud wrthyn nhw am y dyfrgi, maen nhw wedi gofyn i swyddog o Gynllun Dyfrgwn Cymru ddŵad i lawr i weld. Ac os y bydd o'n profi fod 'na un, mae o am sgwennu i'r Adran Gynllunio yn gwrthwynebu. Ac wedyn, mi fydd yn *rhaid* iddyn nhw wrando. Mae dyfrgwn yn brin a *phwysig!*"

Roedd Mrs Owen wedi bod yn siarad hefo'r sister wrth y drws. Yn awr daeth at y gwely.

"Wel, Mr Jenkins," meddai mewn llais datrys problemau. "Ydych chi'n teimlo'n well? Ac yn barod i ddŵad oddi yma ymhen diwrnod neu ddau?"

Nodiodd Giaffar heb ddweud gair. Roedd golwg ddigalon arno wrth feddwl am werthu'i garafán ac am ddyfodol mewn cartre henoed.

"Pwy gymrith Siôn, tybed?" meddai.

"Twt, twt," meddai Mrs Owen. "Does dim eisio sôn am i neb gymryd Siôn. Rydych chi'n dŵad aton ni nes y byddwch wedi gwella. A Siôn hefyd."

Syrthiodd gên Dafydd. Ei fam am gymryd Giaffar

. . . a Siôn? Edrychodd yn syn arni.

Ond roedd Mrs Owen wedi gwylltio'n ofnadwy pan ganfu Giaffar wedi brifo ac yntau'n hen ŵr hefyd, ac roedd hi'n amau'n gryf fod Mr Rowlands wedi rhoi hwyth iddo o fwriad. A doedd neb am gael cam-drin rhywun fel Giaffar, ddim tra oedd *hi* yno i'w rhwystro. Fe gâi Giaffar aros hefo nhw, hyd yn oed os oedd o'n anghofio 'molchi o dro i dro.

"Hwrê!" meddai Dafydd.

"Hwrê!" meddai Roli.

Gwgodd y sister o ddrws y ward.

"Llai o sŵn, os gwelwch yn dda," meddai.

Ond roedd gwên fach ar ei hwyneb . . . a gwên fawr ar wyneb Giaffar fel y sylweddolodd y câi o a Siôn fod hefo'i gilydd . . . ac y caen nhw fynd yn ôl i'r garafán hefyd. Rhyw dro!

Roedd pawb yn brysur yn ystod y dyddiau nesaf. Roedd Mrs Owen yn brysur yn paratoi ystafell i lawr y grisiau i Giaffar ac roedd Mr Owen yn gwneud cwt i Siôn wrth ddrws y cefn.

Roedd Roli a Dafydd, a Miss Preis o'r llyfrgell, a chriw o bobl y dre yn brysur hefyd. Roedden nhw'n dylunio posteri ychwanegol ac yn cnocio ar ddrysau pobl, ac roedden nhw'n ffonio'r radio a'r teledu ac yn anfon at y papurau newyddion hefyd.

"Sgin i ddim amser i gysgu, jest," meddai Dafydd yn fodlon. Nid cwyno roedd o; roedd wrth ei fodd!

Fe gyrhaeddodd swyddog Cynllun Dyfrgwn Cymru ac fe archwiliodd y wern a glan yr afon.

"Mae dyfrgi'n defnyddio'r rhan yma o'r cwm yn

bendant," meddai. "Mae safle gorffwys ganddo yna. Ac mae safleoedd felly wedi'u gwarchod gan y gyfraith. Chaiff neb eu difrodi na rhwystro'r dyfrgi rhag eu defnyddio."

"Fedrwn ni rwystro Walker Developments rhag difetha'r cwm, felly?" holodd Dafydd a Roli hefo'i gilydd.

"Wel . . ." meddai'r swyddog. "Mi fydda i'n gwrthwynebu'r cynlluniau presennol yn gryf. Dydi wiw iddyn nhw wneud dim i aflonyddu ar y dyfrgi. Dim canŵio yn ymyl ei safle gorffwys . . . dim golau a sŵn yn y nos i aflonyddu arno, a phethau felly. Ond am rwystro'r cynllun yn gyfan gwbl . . . wel, mater i'r Pwyllgor Cynllunio ydi hynny."

Fe gyrhaeddodd dynion y papurau newyddion a'r radio a'r teledu yn griwiau prysur i holi Giaffar . . . a Roli a Dafydd . . . a Miss Preis o'r llyfrgell.

"PLANT YN ACHUB HEN ŴR!" gwaeddodd un pennawd yn y papur newydd.

"YMOSOD AR HEN ŴR WRTH DDRWS EI GARAFÁN!" meddai un arall.

"Ond wnes i ddim byd," protestiodd Mr Rowlands. "Damwain hollol oedd y cyfan."

Ond doedd gan ddynion y papurau newyddion ddim amser i wrando ar ei esgusion. Roedden nhw'n rhy brysur yn sôn am gwmni Walker Developments, ac fel roedden nhw wedi prynu fferm ym mhen uchaf y cwm er mwyn ei datblygu'n ganolfan wyliau, ac fel y buasai hynny'n difetha'r cwm am byth, ac fel roedd dau blentyn dewr wedi cychwyn ymgyrch ar eu pennau eu hunain i achub y cwm.

A phan gyrhaeddodd diwrnod y cyfarfod mawr, roedden nhw yno i gyd i dynnu lluniau a holi rhagor. Safai tyrfa ar y palmant y tu allan i ddisgwyl y cynghorwyr. Roedd baneri a hysbyslenni yn eu dwylo.

"Achubwch y Cwm! Achubwch y Cwm!" gwaeddasant fel y cyrhaeddodd y cynghorwyr.

"Y ni biau'r cwm!" meddai llythrennau mawr ar un hysbyslen.

"Dim datblygu!" meddai sgrifen fras ar un arall.

"Gwarchodwch y dyfrgi," meddai llythrennau cochion ar y llall.

Dechreuodd y dyrfa siantio'n uchel.

"Un! Dau! Tri!
Cwm Onnen sy'n eiddo i ni!"

Roedd siambr y cyngor fel theatr fechan gyda rhesi o seddau'n codi'n uwch ac yn uwch at y cefn. Roedd y lle bron yn llawn pan gyrhaeddodd Roli a Dafydd gyda Miss Preis. Dringasant i fyny i eistedd ar y seddau cefn.

"Croesa dy fysedd," sibrydodd Roli.

"Wedi gwneud yn barod," meddai Dafydd.

Roedd pump o ddynion yn eistedd i wynebu'r gynulleidfa.

"Dyna fo'r dyn welson ni yn y swyddfa," sibrydodd Roli eto. "Wyt ti'n meddwl ei fod o o'n plaid ni?"

Cododd un o'r dynion i siarad.

"Rydyn ni yma i ystyried cais Walker Developments i ddatblygu fferm y Wern Uchaf," cyhoeddodd.

Aeth si isel trwy'r gynulleidfa.

"Os cawn ni dawelwch," meddai'r swyddog yn bwysig.

Roedd ganddo domen o bapurau yn ei law. Dechreuodd ddarllen rhibidirês o fanylion am y cais a chwmni Walker Developments. Yna darllenodd rai o'r llythyrau protest a dderbyniodd yr Adran Gynllunio, soniodd am y ddeiseb . . . ac i orffen, darllenodd lythyr swyddog Cynllun Dyfrgwn Cymru. Yna gofynnodd am sylwadau'r cynghorwyr.

Roedd Roli a Dafydd ar bigau'r drain fel y trafodwyd y cais.

"Mi ddaw â gwaith i'r ardal," meddai un.

"Ond gwaith dros dro yn unig fydd o," dadleuodd un arall.

"A beth am y ffordd? Mae hi'n gul a throellog," meddai cynghorwr arall.

"A chofiwch am y bywyd gwyllt. Y dyfrgi, yn enwedig," meddai un arall.

Cododd y dyn bochgoch llydan a gyfarfu Roli a Dafydd yn y swyddfa.

"Wel," meddai. "Wedi ystyried popeth, rydw i, fel y Prif Swyddog Cynllunio, yn argymell gwrthod y cais fel y mae ar hyn o bryd."

Daliodd Roli a Dafydd eu gwynt.

"Gawn ni godi dwylo. O blaid y cais?"

Aeth ychydig o ddwylo i fyny. Yna . . .

"Yn erbyn?"

Cododd y rhan fwyaf o'r cynghorwyr eu dwylo y tro hwn.

Neidiodd Roli ar ei thraed.

"Hwrê!" gwaeddodd.

Neidiodd Dafydd ar ei draed hefyd . . . a Miss Preis . . . a'i rieni . . . a mam Roli a oedd wedi penderfynu dod ar y funud olaf. Roedd pawb yn gwenu ac yn ysgwyd llaw, ac yn siarad ar dop eu lleisiau.

Cychwynasant o'r siambr. Roedd Mr Rowlands ar ei ffordd allan hefyd. Gwgodd wrth weld Roli a Dafydd.

"Mi fyddwn ni'n gwrthwynebu, wrth gwrs," meddai. "Mynd â'r mater i'r Swyddfa Gymreig."

Yna trodd ar ei sawdl a brasgamu am y drws.

Diflannodd y wên oddi ar wynebau Roli a Dafydd.

"Fedr o, Miss Preis?" holodd Dafydd.

"O . . . mi wnaiff y cwmni bopeth i gael caniatâd," meddai Miss Preis. "Dim ond hanner y frwydr enillon ni, cofiwch."

Pedlodd Roli a Dafydd yn araf am adre. Roedden nhw'n falch fod y cwm yn ddiogel am ychydig o amser eto, ac roedden nhw'n falch fod Giaffar yn gwella, ac am gael dychwelyd i'w garafán ryw ddiwrnod. Ond yn fwy na dim, roedden nhw'n falch eu bod nhw ill dau yn ffrindiau!

"Fedri di ddim gwneud 'wheelies', yn na fedri?" meddai Roli'n sydyn.

"Faint o fet?" holodd Dafydd gan gyflymu.

"C'mon," meddai. "Hefo'n gilydd."

Gwnaeth y ddau 'wheelie' perffaith cyn pedlo fel randros am adre.

"Twpsyn!" galwodd Roli.

"Twpsan!" galwodd Dafydd yn ôl.

Ond roedden nhw'n gwenu wrth ddweud.